KB178086

일상의 평범함이

특별함이 되는 시간

일상의 평범함이 특별함이 되는 시간

발　행 | 2023년 12월 25일
저　자 | 오신나 에세이클럽
펴낸이 | 한건희
편　집 | 김경희
펴낸곳 | 주식회사 부크크
출판사등록 | 2014.07.15.(제2014-16호)
주　소 | 서울특별시 금천구 가산디지털1로 119 SK트윈타워 A동 305호
전　화 | 1670-8316
이메일 | info@bookk.co.kr

ISBN | 979-11-410-5971-2

www.bookk.co.kr

일상의 평범함이 특별함이 되는 시간

오신나 에세이클럽 지음

추천사

글로 만난 사이.

이 말을 좋아한다. 나는 이 책의 작가 일곱 분 중 대부분을 직접 만난 적이 없지만, 누구보다 이들을 가깝게 느낀다. 물론 온라인이 아닌 실제로 만나 이들의 여유 있고 의욕적인 눈빛과 피부톤, 머리칼의 느낌, 매력적인 손가락, 경쾌한 웃음소리까지 느껴보고 싶기야 하지만 그보다 더 깊고 진한 것들을 우리가 공유하고 있다고 믿기 때문이다. 직접 만나지 못하는 아쉬움 정도는 상쇄시킬 수 있는 보다 소중한 것들. 그것은 오신나 작가들의 보석 같은 글과 이야기다.

지난 2022년 9월, '에세이 클럽'이라는 이름으로

우리의 만남은 시작되었다. 여기 실린 글들은 글쓰기 과정을 마친 후 여러 번의 계절을 거치며 시간과 함께 무르익은 글들이다. 또 한 번의 깊은 가을을 맞으며 이들의 글은 더 깊어지고 바야흐로 한 권의 책이 되어 세상에 나오게 되었다. 그동안 수많은 글이 쌓이고 때론 버려지고 또 수없이 많은 퇴고의 과정이 있었다. 이런 과정을 알기에 감동이 더 진할 수밖에. 더구나 일곱 명의 멤버가 중도에 포기하거나 그만두지 않고 함께 해낸 것, '오신나' 글이 고스란히 한 권의 책에 담기게 된 것을 감사하게 생각한다. 일곱 분 모두가 글에 대한 열정이 있고, 서로의 글을 사랑하고 진심으로 아끼는 마음이 있었기 때문임을 알고 있다.

일곱 명의 작가가 쓴 글의 주제들을 한데 모아 놓은 목차를 만나며 나는 깜짝 놀랐다. 각자의 색을 드러내는 다양함은 물론이고 이 시대의 화두가 되는 주제들을 절묘하게 담아냈기 때문이다. 미니멀리즘부터 시작해서 입시와 교육, 은퇴 후의 삶, 외모로 인한 고통과 노력, 혼자 하는 여행, 그리고 글쓰기까지. 관심 있는 주제들을 한 그릇에 담아내니 읽는 맛이 나고 깊은 공감이 일어났다.

시인이신 고선애 작가는 적게 소비하고 심플하게 살지만, 그 누구보다 풍요롭게 사는 분이다. '나는 미니멀리스트'에서는 작가의 세계관과 정체성이 잘 드러난다. '물건보다 경험을 소중히 하는 사람'이라는 구절이 개인적으로는 가장 와닿았다. 지금이 인생 최고의 전성기라는 고선애 작가의 활약을 기대해 본다.

칼럼에 특화된 강민주 작가는 이성적이고 냉철한 글을 쓰시는 분이다. 처음 글을 시작할 때는 '내년에 고3 엄마'였는데 현재는 곧 수능을 앞둔 입시생의 엄마다. (이 책이 출간될 즈음엔 이미 수능이 끝나겠지만) 왔다 갔다 하는 정책으로 인해 수험생뿐만 아니라 엄마들의 입시 스트레스도 그에 못지않은 현실, 강민주 작가는 이러한 한국 교육계의 현재 상황과 문제점을 개인적인 경험에 녹여 예리하게 풀어내고 있다.

김경희 작가는 일상의 다양한 글감으로 따뜻하고

부드러운 글을 쓰시는 분이다. 남편의 은퇴 후 삶을 '삼식씨'로 표현하며 제2의 신혼을 재미있게 써 내려갔다. 현실에서 먼 이야기가 아니라 나 자신도 언젠가 겪어나갈 일이기에 마치 일일 드라마를 보듯이 몰입해서 읽을 수 있었다. 경제적인 면에서도, 정신적인 면에서도 김경희 작가와 '삼식씨'님은 우리 오신나의 공식 '은퇴 후 로망 부부'이다.

배은미 작가는 자신을 드러내는 것을 주저하지 않고 한 걸음 더 나아가는 것을 망설이지 않기에 앞으로가 더 기대되는 작가이다. 치열하고 전투적이었던 '여드름과의 전쟁' 이야기를 실감 나게 표현해 재미와 감동을 선물한다. 재밌지만 뭉클하고 왠지 공감이 가서 눈물이 찔끔 나기도 한다.

그림책 전문가이신 이명희 작가의 글은 역시 신선하다. 이명희 작가 역시 외모 스트레스로 고통받는 우리 시대 여성들의 마음을 대변한다. 통통 튀는 글로 하체 비만, 하비의 비극을 유머로 승화시켰다. 나 역시 하비로서 개인적으로 가장 공감되는 글이기도 했다. 하비족 모여라!

신주희 작가는 늘 정곡을 찌르는 작가이다. 회사에서뿐 아니라 오신나에서도 '귀여움'을 담당하고 있기도 하다. 제목부터 참 예리하기 그지없이 '글쓴이만 재미있는 이기적인' 글이란다. 그러한 글이라 할지라도 끝까지 쓰겠다고 우기는 우리는 당당한 작가. 그러나 오신나 작가들의 글은 이미 독자에게도 재밌는 글이라는 사실!

이수경 작가는 여행 블로거로 활동하는 분이다. 이분의 글을 읽다 보면 어느샌가 머리로 마음으로 여정에 동참하게 된다. 혼자 하는 여행을 해본 적 없는 나는 글을 읽으면서 의지를 다졌다. 나도 이수경 작가처럼 '여행하는 인간의 자아분열'도 겪어보리라 다짐하고, 바닷가에서 혼맥하는 상상도 한다. 아, 고독한 미식가도 되어보고 싶다. 그날을 꿈꾸며 치얼스!

지금 이 글을 쓰면서도 마음이 들썩인다. 재밌고 의미 있는 글들이 세상에 책으로 나오는 것이 신이 나고, 빨리 다른 분들께 소개하고 싶다는 마음이 간절하기 때문이다. 과연 '오묘하고 신비한' 오신나 작가들답게 일상의 평범함이 어느새 특별함으로 다가오는 시간이었다. 그 마법 같은 힘은 바로 글을 써 내려간 일곱 분의 진심과 노력에서 시작된 것이리라. 이분들의 진심과 노력을 나는 안다. 그리고 이들의 글 안에 담긴 빛나는 알맹이를 알고 있다. 그 알맹이를 공유한 우리들, 나아가 지금 이 글을 읽고 있는 당신까지도 우리는 찐하게 '글로 만난 사이'다.

메릴랜드에서 그리움 담아
임수진

프롤로그

풀이 피어 바람에 흔들리듯

울타리 안에서 함께 글을 쓰기 시작한 지 첫 돌을 넘어선 우리는 '오·신·나' 라는 이름 아래 모였습니다. 우리는 <안녕, 나의 한옥집>의 저자 임수진 작가가 진행하는 에세이 클럽에서 만났습니다. 지역, 나이, 외모, 성격, 하는 일까지 모두 달랐지만 글동무가 되었습니다. 서로 글벗이 되어 함께 글을 쓰니 든든했습니다. 깃대에 메여 있어야 깃발이 나부끼듯, 글 쓰는 집단에 속해 있었기에 꾸준히 글을 쓸 수 있었습니다. 쓰고 싶을 때나 쓰기 싫을 때도 반복적으로 글을 쓰다 보니 글의 뒤태가 조금은 아름다워질 수 있었다고 생각해 봅니다.

우리는 1년 가까이 매주 한편씩 글을 쓰면서 다 같이 고민했습니다. '왜 글을 쓰는가'에 대해서. 글을 쓰는 사람이라면 누구나 하게 되는 고민이라지만 이런 고민이 우리의 고민이 되리라고는 예상하지 못했습니다. '왜 글을 쓰는가'라는 고민은 우리 모두의 고민기도, 오·신·나(오묘하고 신비한 나의 글쓰기) 회원 개개인의 고민이기도 했습니다. 지금까지도 글을 쓸 때마다 '왜 글을 쓰는가'에 대한 결론은 내리지 못했습니다. 하지만 적어도 글을 쓰니까 이런 것이 좋고 저런 것이 좋다는 얘기는 할 수 있게 되었습니다. 누군가는 글 쓰는 일을 통해서 자신을 깊숙이 들여다볼 수 있었다고 합니다. 또 누구는 지난 시간 속에서 받았던 상처를 치유하는 시간이 되었다고 합니다. 또 다른 누구는 미래에 대한 희망이 생겼다고도 합니다.

'왜 글을 쓰는가'를 고민하며 글을 쓰다가 발견한 자신의 이야기, 아픔을 치유해 나가는 뭉클한 이야기, 용기를 얻게 된 희망의 이야기 등등 일곱 명의 에세이스트들의 이야기를 여기에 하나로 묶어 놓습니다. 팔색조와 같은 일곱 명이 살아가는 진솔한 삶의 이야기를.

'유쾌한 심플라이프'를 쓴 저는 간소하게 사는 것을 좋아합니다. 평소 생각하는 심플라이프의 가치를 삶에 어떻게 적용하며 사는지 보여주고 싶은 마음으로 글을 썼습니다. 가볍게 살아야 하는 이유와 단순함에서 오는 가치가 얼마나 소중한지 이야기하고 싶었습니다. 어떤 환경에 처해도 이 순간을 감사로 채우고 단단한 자아를 가질 수 있도록 안내해주는 심플라이프를 소개합니다. (고선애)

'고3 엄마가 바라보는 우리나라 교육계'를 쓴 저는 올해 고3인 큰 애를 생각하며 우리나라 대학입시를 다시 살펴보고 싶었습니다. 힘든 수험 생활을 지나고 있을 아들의 어려움을 함께 나누고 입시제도의 문제를 가까이에서 고민하기 위해 글을 썼습니다. 때론 우리나라의 변화무쌍한 입시 제도를 비판했고, 지금보다 체계적이고 희망적인 교육 현실을 꿈꾸며 자판을 두드렸습니다. 작은 발자국이 큰 움직임을 만드는 것처럼, 글을 읽는 사람들의 작은 관심으로 미래의 입시 현장이 2023년보다는 더 신뢰받았으면 좋겠습니다. 이 땅의 젊은이들이 꿈을 찾아갈 수 있도록 대한민국 입시교육의 앞날이 밝아지길 기대해 봅니다. (강민주)

남편의 퇴직을 기점으로 우리 부부는 삼시 세끼를 같이 먹는 부부가 되었습니다. 퇴직자들이 되어 일상 속에서 겪고 있는 우리 부부의 갈등과 연합의 이야기, 나이 들어가면서 조금씩 익어가는 과정을 기록했습니다. '삼식씨와 살게 되었습니다'는 오랜 시간을 함께 살아왔지만, 아직도 닿을 듯 말 듯 서로 다른 아내와 남편의 이야기입니다. (김경희)

지독하게 오랫동안 여드름과 동고동락 했던 저는 위태로웠던 학창시절을 떠올리면 아직도 마음이 아픕니다. 그동안 가장 듣기 싫었던 말이 멍게, 소보루, 곰보빵이었습니다. 그동안 얼굴에 아무것도 만져지지 않는 날을 간절히 소망했었는데 시간이 꿈을 이루어 주었습니다. 거리를 거닐다가 예전의 내 모습처럼 얼굴에 붉은 여드름이 난 아이들을 보면 너무나 안쓰럽습니다. '멍게 피부로 살아가기'를 통해 여드름으로

고민하는 청춘들에게 너무 아파하지 말라고 위로해 주고 싶습니다. (배은미)

'글쓴이만 재미있는 이기적인 수필'은 태어나서 처음으로 제 이야기를 쓰고 다른 사람들에게 공개한 글입니다. 글쓰기의 과정은 매번 첫 문장의 첫 단어부터 막혀 애를 먹었고, 글을 공개하는 과정은 광장에 나체로 서 있는 것처럼 부끄러웠습니다. 하지만 반복된 글쓰기 과정을 통해서 제가 보지 못했던 일상 속의 행복과 감사를 발견할 수 있었고, 감추고 싶었던 아픔과 상처를 치유할 수 있었습니다. 아직은 글쓴이만 재미있고 힐링이 되는 이기적인 글이지만 제 글이 여러분 하루에 작은 쉼이 되었으면 좋겠습니다. (신주희)

'오늘도 하비(하체 비만)로 살아갑니다'를 쓴 저는 하체 비만으로 울고 웃으며 지냈습니다. 주변 사람들은 나이가 들면 하체 살이 빠진다고 하던데 저는 아직 아무런 변화가 없습니다. 예외 법칙이 작용해서 그러는 것인지는 모르겠지만, 이제는 튼실한 하체를 운명으로 서서히 받아들이고 있습니다. 부실한 하체보다 튼튼한 하체가 더 좋다는 말을 증명하면서 오늘

도 하비로 살아가는 모든 이들에게 용기를 드립니다. (이명희)

바쁘게 지나가는 시간 속에서 어린 시절 꿈을 잃어버린 채 살았습니다. 아이들이 크고 어느새 마흔의 고개를 넘으니 내가 좋아하고 진정으로 원하는 삶이 무엇인지 돌아보게 되었습니다. 청년기부터 꿈꾸었던 여행을 직접 다녀보니 머릿속으로 그렸던 것과는 달랐습니다. 따로 또 같이 여행하면서 나와 세계와의 관계를 탐구하는 과정은 지금도 진행 중입니다. '혼자 여행하는 인간'으로서 의미를 찾으며 계속 글을 쓰고 싶습니다. (이수경)

오·신·나 에세이 클럽은 풀이 피어 바람에 흔들리듯 앞으로도 흔들리며 글을 써나갈 것입니다. 마치 수다를 떨고 난 뒤 수첩에 옮겨적듯 일상 속 평범함을 특별하게 만들면서 글쓰기를 향한 우리의 걸음을 멈추지 않고 싶습니다.

우리는 이제야 글을 쓰기 위해서는 성실한 자세가 요구된다는 사실을 깨달았습니다. 글재주 보다 꾸준히 글 쓰는 자세가 조금 더 완성된 글을 써낼 수 있다는 것도 알았습니다. 쓰고 싶으면 썼고 쓰기 싫을 때는 멈추었던 미숙한 시절을 되돌아보며, 앞으로는 성실한 자세와 성숙한 모습으로 글을 쓰려 합니다. 좋은 습관은 철로 만든 셔츠와 같다는 말처럼 성실의 셔츠를 입고 글 쓰는 현장에 오래도록 있고 싶습니다.

'일상의 평범함이 특별함이 되는 시간'이 책으로 나오기까지 한마음으로 수고한 고선애, 강민주, 김경희, 배은미, 신주희, 이명희, 이수경 님과 한없는 관심으로 기꺼이 추천사를 통해 사랑을 전해주신 임수진 작가님께 감사드립니다.

2023년 12월 25일

오·신·나 에세이 클럽

목차

Chap.2 고3 엄마가 보는 우리나라 교육계

강민주

Chap.3 삼식씨와 살게 되었습니다

김경희

Chap.4 멍게 피부로 살아내기 배은미

Chap.5 글쓴이만 재미있는 이기적인 수필

신주희

Chap.6 오늘도 하비로 살아갑니다 이명희

Chap.7 혼자 여행하는 인간 이수경

Chap.1

유쾌한 심플라이프

고선애

시인, 가볍고 소박한 삶을 지향하며, 오감으로 느낄 수 있는 감상의 끈을 고스란히 잡고 사는 사람. 고선애와 함께하는 온라인 시 낭송 클럽 운영, 시집 <사랑을 만나면 멈추지 말아요>를 2022년에 출간했다.

유쾌한 심플라이프

나는 미니멀리스트

심플한 삶을 지향하는 사람이다.
나에게 필요한 최소한의 물건만 소유하는 사람이다.
내가 행복한 일을 하는 사람이다.
돈은 조금 벌어도 충분히 행복하게 사는 사람이다.
나에게 필요하지 않은 물건을 자주 선별하는 사람이다.
혼자만의 시간을 즐기는 사람이다.
정신적 가치를 중요하게 생각하는 사람이다.
충만한 자신감을 가진 사람이다.
적당한 거리감을 두는 사람이다.
미니멀한 관계를 유지하는 사람이다.
내면의 평안함을 위해 산책하는 사람이다.
내 몸을 깊이 사랑하는 사람이다.

내게 있는 작은 것에 감사하는 사람이다.
하고 싶은 일을 미루지 않는 사람이다.
물건보다 경험을 소중히 여기는 사람이다.
오감으로 느낄 수 있는 감상의 끈을 고스란히 잡고 사는 사람이다.
지난 과거에 집착하지 않는 사람이다.
남의 시선을 두려워하지 않는 사람이다.
집 근처 마트를 내 창고라 생각하는 사람이다.
밥을 천천히 먹고 소식하는 사람이다.
편협한 사람이 되지 않기 위해 다양한 분야의 책을 읽는 사람이다.
살아가면서 누구에게나 배울 점이 있다고 생각하는 사람이다.
살림의 규모가 작은 생활을 하는 사람이다.
꾸준함의 힘을 믿는 사람이다.

이 순간을 즐기며 감사하는 삶, 남에게 도움 되는 일을 좋아하는 삶, 어떤 환경에서든 '코어가 단단한 자아'를 가진 삶, 중요한 것을 하기 위한 에너지를 물건 정리하는 일에 허비하지 않는 삶, 비워둔 공간을 자유롭게 사용할 수 있는 여유로운 삶, 물건을 소비하는 대신 더 가치 있는 일에 참여하는 삶을 실천하는 사람인 나는 미니멀리스트다.

단순함에 관한 단상

겨울의 한가운데를 걷고 있는 요즘이다. 가을이 끝날 즈음에는 얇은 옷을 넣어두고 도톰한 옷을 꺼낸다. 한 계절 동안 한 번도 입지 않았던 옷은 버릴 목록으로 추려낸다. 계절마다 옷을 정리하는 일은 자주 해오던 일이다. 신기한 것은 정리를 자주 하는 편인데도 버릴 옷은 항상 나온다는 것이다. 아이의 작아진 옷은 당연히 내년에는 못 입을 것이니 이 또한 처리해야 한다. 몇 안 되는 여름 티셔츠 같은 경우 제복이 되어 거의 매일 입게 되니 헤져서 못 입는 경우도 종종 있다. 지금 필요하지 않은 물건을 선별해 내는 일도 중요하다. 지금 사용하지 않는 것은 앞으로도 사용하지 않을 확률이 높다. 물건을 줄이면 내가 관리해야 하는 물건의 양이 줄고 유지하기에 수월하다. 그만큼 시간과 에너지를 아낄 수 있다. 그 시간과 에너지는 내가 집중해야 할 본질에 더 충실하게 사용할 수 있게 된다.

단순한 생활, 단순한 관계, 단순한 공간, 단순한 사람이 좋다. 단순하다는 것은 기본에 충실하다는 것이다. 복잡하면 본질에 치중하지 못할 가능성이 크다. 기본에서 벗어나기 쉽다. 스케줄 가득한 약속들, 친목도모를 위한 모임은 웬만해서는 만들지 않지만, 우후죽순처럼 늘어났다면 조금씩 발 빼는 작업을 한다. 그래야만 나만의 시간을 확보할 수 있고, 여유로움을 누릴 수 있기 때문이다. 읽고 사색하고 쓰는 일에 더 가치를 두고 싶기 때문이다. 번잡함에서 멀어지고 혼자만의 고독을 즐길 줄 알아야 스스로 이루고자 하는 것에 몰두할 수 있다. "너의 고독 속으로 달아나라! 위대한 일은 한결같이 시장터와 명성에서 멀리 떨어진 곳에서 이루어진다." 니체가 『차라투스트라는 이렇게 말했다』에서 했던 고독에 대한 찬미를 보아도, 단순한 삶은 고독의 여정에 사뿐히 올라탈 수 있도록 돕는다.

평소에 먹는 음식도 간단한 음식을 선호한다. 자연에서 온 그대로 먹는 것을 좋아한다. 과일과 채소는 살아있는 음식이라 여기고 하루 한 번은 식단에 넣는다. 소량의 과일, 고구마, 삶은 달걀, 샐러드처럼 간단하게 금방 해 먹는 음식이 속이 편하고 조리하는 시간도 짧아서 좋다. 가벼운 몸을 유지하고 싶기도 하고 몸을 건강하게 관리하려면 욕심부리지 않고 소식하는 것이 도움이 된다. 가끔 밖에서 약속이 생기거나 외식하는 날이 있다. 회사 사람들과 식사하거나 모임이 있어서 평소보다 과식하게 될 때도 있다. 그런 다음 날에는 한 끼 정도는 건너뛰는 게 좋다. 간단하게 먹고 가벼운 몸을 유지하려는 태도도 단순한 삶에 대한 연장선이라 할 수 있다.

단순한 삶은 누구나 원하고 있지만, 도대체 어느 정도의 단순함이 자신에게 맞는 것일까? 스스로 곰곰이 생각해 보고 적정 수준을 맞춰야 할 것이다. 자신의 상황과 한계는 자신이 가장 잘 알고 있으니 말이다. 극단적으로 물건을 가지지 않는다는 게 아니라 자신에게 맞는 단순한 삶을 추구하는 것이 좋다. 고독을 즐기며 고요함이 스민 풍경을 바라보는 여유로움을 누릴 수 있다면, 내면을 풍요롭게 다지며 단순한 삶을 위한 시간이 될 것이다.

단순하게 살아야 하는 이유

"글을 쓰거나 그림을 그리는 사람이 행복한 이유는 날마다 기적을 경험하기 때문이다. 기적은 정말 날마다 오니까." 거트루드 스타인 1874~1946

사람들은 대부분 소비하기 위해 많이 번다. 더 많이 벌기 위해 수단을 가리지 않을 때도 있다. 소중한 시간을 담보로 직장에 몸과 영혼을 갈아 넣은 채 돈을 벌기 위해 하루하루 견디며 살아가고 있다. 고된 가장의 퇴근길이 그려진다.

우리나라 직장인들 대부분이 '번아웃 증후군'에 시달리며 무기력해지는 현상을 자주 겪는다고 한다. 처음에는 의욕적으로 일에 몰두하던 사람이 극도의 신체적, 정신적 피로감을 호소하며 무기력해지는 현상이

번 아웃이다. 뉴욕의 정신분석가 프로이덴버거(Herbert Freudenberger)가 논문에서 약물 중독자들을 상담하는 전문가들이 무력감을 설명하기 위해서 '소진'이라는 용어를 사용한 것에서 유래했다고 한다. '불타서 없어지다'라는 뜻이다. 한 번뿐인 인생을 일에 매여 에너지를 모두 태워 버려서야 되겠는가? 가장 먼저 해야 할 시급한 일은 '인생에서 무엇이 가장 중요한 것인가'를 깊이 고민해야 할 것이다.

온 힘을 다해 직장에서 일하는 사람들은 이렇게 열심히 일하는 것이 가족과 행복하게 지내기 위해서라고 말한다. 새벽부터 밤늦게까지 많은 시간 일하고 그 외 시간에는 더 높이 올라가기 위해 공부하며 시간을 투자한다. 또 가족이 행복해지기 위해서는 돈이 많이 필요하다고 생각한다. 하지만 행복이란 돈과 물질로 살 수 있는 것이 아니라 가족이 함께 시간을 보내는 것이 아닐까?

행복해지기 위해서는 많은 돈이 필요하지 않다고 생각한다. 더 많은 물건을 사고 더 많은 음식을 먹기 위해 많은 시간을 돈 버는 일에 써야 한다면, 우리는 물질만능주의의 허상을 직시하지 못하는 것이다. 소비 지상주의가 만연한 가운데 더 소비하도록 하는 광고나 미디어에서 눈을 떼고 고개를 돌려야 한다. 껍데기가 아닌 알맹이 인생을 사는 것을 추구해야 한다. 가족과 함께 시간을 최대한 많이 공유하고 최소한의 물건만으로도 우리 몸과 마음은 더 풍요로운 삶을 여행할 수 있다.

'완벽하지 않아서 행복한 스웨덴 육아'의 홍민정 작가가 작은 문화센터에서 미술 수업받을 때의 경험을 이야기했다. 아이들에게 적은 재료로 그림을 그리게 한다. 처음부터 풍부한 재료를 주지 않는다. 한정된 재료를 가지고 최대한 다양한 색을 만들어 보도록 한다. 물감은 네 가지 색을 주고, 물감을 섞어서 색을 만드는 방법을 알려준다. 하늘을 그리고 싶은데 파랑이나 흰색이 없다면 해가 지는 붉은 하늘을 생각할 수도 있고, 먹구름 낀 하늘을 생각해 볼 수도 있다. 물감을 섞어서 원하는 색을 만들 수도 있다. 상상력과 창의력은 제한된 상황에서 나올 수 있다.

미니멀리스트인 나는 사회에서 세뇌하고 있는 소비주의에서 벗어나 광고, 미디어에 현혹되지 않기 위해 노력하고 있다. 사치품과 보이기 위한 물품, 값비싼 쓰레기더미가 삶의 필요 요건은 아니니까. 나에게 필요한 것은 마음을 담은 온기 있는 사랑과 인정해주는 마음이다. 가치관을 공유하고 함께 시간을 보내며 추억을 쌓는 것이 더 가치 있는 삶이다. 앞으로도 지금처럼 일하는데 시간을 모두 소진하지 않고 단순하게 삶을 디자인하며 살고 싶다. 시간은 우리를 기다려주지 않으니 돈이 많지 않아도, 완벽하지 않아도, 청명하고 시원한 가을 공기를 들이마시며 사랑하는 사람과 함께 오래도록 걸어가고 싶다.

미니멀리스트의 건강관리

건강관리라고 하니 거창한 느낌이 들지만, 건강을 위해서 특별히 신경 쓰지는 않고 '소식하기'와 '운동하기' 두 가지는 실천하려고 한다. 간소하게 살기 시작하면서 대형마트는 되도록 가지 않는다. 대부분 집 앞 작은 마트에서 필요한 만큼만 산다. 원 플러스 원에 현혹되지 않는다. 쿠폰, 포인트, 도장 쿠폰 등은 따로 적립하지 않는다. 안 쓰는 것이 진정한 절약이지 소비에 대한 0.1%를 적립하는 것이 절약은 아니니까. 적립에 신경 쓰는 일도, 적립이 소멸되기 전에 사용해야 하는 것도 일일이 기억해야 하는 것이 피곤하게 느껴진다. 단순한 것이 좋다. 채소를 살 때도 양배추 반쪽, 사과 한 봉지, 양파는 작은 것 한 망 정도로 적게 사는 편이다. 필요한 만큼 한두 가지씩 구매한다. 그러면 싱싱한 재료로 바로 요리할 수 있고, 냉장고에 오랫동안 쌓아 두지 않아도 된다.

새로운 물건을 살 때는 하나를 사면 같은 아이템 하나를 버린다. 고장 나거나 못 쓰게 되면 버리고 같은 제품으로 구매한다. 하나의 아이템은 하나씩만 구비한다. 그래야 관리가 쉽다. 충동 구매를 하지 않는다. 구매하러 갈 때는 구매목록을 메모해서 준비해 나간다. 충동 구매로 후회해 본 경험이 상당히 많기 때문이다.

의식적으로 소비할 때 건강을 생각하게 된다. 물건도 순식간에 불어나지 않도록 의식한다. 의식 있는 소비가 단순한 삶을 살 수 있도록 돕는다. 단순한 삶을 사는 게 나는 더 좋다. 생각이 단순할수록 더 가치 있고 풍요로운 삶으로 나갈 수 있다. 풍요로운 삶이란 감사함이 묻어나는 삶이다. 최소한의 물건만 있을 때 그 물건 자체로 고마움을 느낄 수 있고, 작은 일에도 감사함이 나온다. 감사함이 잦은 생활이야말로 행복으로 가는 길이다. 행복을 느끼는 일은 아주 간단하다. 지금 가지고 있는 것에 만족하는 것이다.

예전에는 계산하지 않고 소비를 했는데 지금은 의식 있는 소비를 한다. 남들이 사는 것은 나도 사야 했고, 남들이 선물을 받으면 나도 받고 싶어 했다. 결혼할 당시 아주 작은방 하나 딸린 원룸에 신혼살림을 차렸다. 그 안에 어울리지도 않는 850 리터 냉장고를 사고 24인용 그릇 세트를 샀다. 냉장고는 한번 사면 오래 사용하기 때문에 제일 큰 것을 사야 한다는 말을 아무 생각 없이 그대로 받아들였다. 둘이 사는데 24인용 그릇 세트를 왜 샀을까? 손님을 치를 일은 집들이 몇 번뿐이었다. 살림해 본 적이 없었기 때문에 일주일에 한 번씩 대형마트에 가서 장을 보곤 했다. 둘이 다 먹지 못하고 버리는 채소가 늘어갔다. 원 플러스 원 생필품들은 한번 사면 몇 달을 써야 했다. 둘이 맞벌이하던 시절이라서 요리할 시간도 많지 않았는데 왜 그렇게 많은 식품 재료를 사다가 버리는 일을 반복했는지 모르겠다. 나중에는 꾀가 생겨 채소는 안 사게 되고 냉동식품이나, 라면 같은 인스턴트 음식들을 사다가 냉동실에 쌓아 두기 일쑤였다.

아이가 태어나면서부터 건강한 먹거리에 관심 가지

게 되면서 좋은 먹거리를 구매하기 시작했다. 그동안 좋지 않은 식습관으로 살이 많이 쪄있는 나를 돌아보게 되었고, 건강하지 못했던 나의 과거가 부끄러웠다. 건강한 식습관에 대해 알게 되니, 가공식품은 멀리하게 되었다. 건강한 재료를 사용하여 직접 요리해서 먹게 되었다. 내 손으로 음식을 직접 만들어 먹다 보니 이전보다 지방을 덜 먹게 되었고 나트륨도 덜 섭취하게 되었다. 아이와 함께 식생활이 간단해지고 간소해졌다. 몇 년을 맵지 않은 음식과 짜지 않은 음식들로 몸을 채웠다. 과식하지 않고 소식하게 되니 몸도 가벼워졌다. 미니멀라이프를 실천하게 되면서 나는 더 건강해졌다. 건강에도 관심이 생기면서 운동도 하게 되었다. 꾸준히 산책도 하고 헬스장도 다녀보고 코로나 19가 시작될 시점부터는 집에서 실내 자전거를 탔다. 요즘은 필라테스를 배우고 있다.

『노화의 종말』이라는 책에 '노화는 나이 드는 정상적인 현상이 아니라 질병'이라 했다. 노화를 해결하고 건강한 상태로 장수하기 위해선 '소식하기' '육식 줄이기' '운동하기' 같은 라이프 스타일을 개선해야 한다. 식단이 건강하고 간소하면 노화를 늦출 수 있다.

나는 건강하고 간소하게 살기 위해 소식과 의식 있는 소비를 하면서 간헐적 단식을 종종 하고 있다. 빠르게 달리다 천천히 달리는 고강도 인터벌 트레이닝도 실내 자전거로 실천하고 있다.

나의 리즈시절은 바로 오늘

누구나 리즈시절이 있다. 나의 리즈시절은 대학에 다니던 20대 때 미인대회에 나가 2등을 했을 때다. 또 결혼하기 전 탄력 있는 몸매로 아름다움을 꽃피우던 때였다. 돌이켜 보면 그 시절에는 스스로 얼마나 예뻤는지 인지하지 못한 채 남들과 비교하고 나보다 더 예뻐 보이는 친구들을 보며 부러워했다. 생긴 그대로를 받아들이지 못했다. 살을 빼기 위해 수없이 다이어트를 했고 사람들의 시선을 지나치게 의식했다. 나보다 얼굴이 예쁘다고 생각되는 사람에게 부러움을 느끼고 스스로 못생겼다고 생각했다. 더 예뻐지기 위해 할 수 있는 노력을 계속했다. 가장 맑고 싱그러웠던 리즈시절에 나는 외모지상주의에 찌들어 있었다.

하지만 요즘은 다이어트를 하려고 무조건 굶으며 나를 채찍질하지 않는다. 알맞은 운동을 하는 것이 건강과 탄력에 도움이 된다는 것을 안다. 물을 많이 마시고 산책을 하며 마음을 바로 세우는 것이 먼저다. 맛있는 음식은 나를 얼마나 기분 좋게 하는지 알기 때문에 먹는 것을 극단적으로 금지하지 않는다.

나에게 어울리는 스타일이 무엇인지 알고 입는다. 무조건 비싼 화장품을 구매하기보다 내 피부에 맞는 화장품을 사서 바른다. 살을 빼기 위해 운동하는 것이 아니라 건강을 유지하기 위해 운동한다. 하루를 살아갈 때 루틴의 힘을 믿으며 조금씩 성장해 나가는 것을 신뢰한다. 이런 의식을 가지고 일상을 살고 있다.

내겐 사랑도 마찬가지. 그에게 마음을 숨기며 힘을 장악하기 위해 밀고 당기는 일은 피곤하다. 내가 원하는 것을 속 시원하게 말해주고 상대도 마음을 훤히 알 수 있게 대화를 자주 한다. 내가 약한 부분은 굳이 감추려 하지 않고 더 보여주고 이해해 주길 부탁한다. 표현할 수 있을 때 많이 표현한다. 만질 수 있을 때 많이 만진다.

나는 지금 내가 얼마나 사랑스러운지 알고 있다. 사랑스러운 나를 만나려면 나를 잘 아는 것이 먼저다. 내가 가장 즐거워하는 일은 무엇인지, 나를 잘 아끼고 나에게 친절하게 대해주어야 온화하고 평온한 일상을 살 수 있다. 지금까지 살아온 날도 소중하지만 앞으로 살아갈 날이 더 소중하기에 행복해할 미래의 나를 기대해 본다. 또 살아갈 날 중 가장 젊고 예쁜 시기가 지금이라는 것을 의식하며 살아가고 있다. 완벽한 사람이 아니기에 부족한 점도 많고, 어려운 순간이 오면 갈피를 잡지 못하고 혼란스러워할 때도 있으며, 중대한 결정을 내려야 할 때 주저하는 모습도 있다. 하지만, 완벽하지 않은 그대로의 모습을 수용하면서 내가 원하는 삶의 자리에 도달하기 위해 나에게 주어진 길을 묵묵히 걸어가고 싶다. 결국, 삶의 과정에서 나를 잘 알아가는 것이 가장 중요한 핵심이라 생각한다.

운동 후 씻고 나와 긴 거울 앞에 서 있는 나의 모습을 바라본다. 살짝 쳐지고 보드랍지 않은 모습이 보인다. 군살 없는 몸매는 더더욱 아니다. 그렇지만 나의 몸매는 그 어느 때보다 건강하다. 살아있는 생생한 근육과 피부를 가지고 있다. 앞으로 나이가 들면 어떻게 될지 모르겠지만 지금은 건강하게 움직일 수 있는 몸과 마음을 가졌다. 그래서 나는 지금 아름답다. 지금이 내 생애 최고의 전성기다.

저혈압이 준 선물

어지럽다. 갑자기 배가 부글부글 끓어오른다. 모니터 화면이 흐려지고 있다. 급히 화장실에 가야겠다는 생각이 스친다. 화장실로 내달린다. 복통과 함께 설사가 시작된다. 온몸의 근육이 몸속에서 그것을 내보내겠다는 듯이 쥐어짠다. 경련이 온다. 머리에는 식은땀이 흐르고 복통이 오다 사라지다 반복한다. 머리부터 발끝까지 힘이 쭉 빠진다. 몸통에 힘을 주거나 허리를 곧추세울 수가 없다. 여차해서 휴지로 뒤를 닦지도 못하겠다는 생각이 들자 온 정신을 집중해서 필사적으로 뒤처리를 한다. 정신 차려야 한다. 뒤처리하지 못하고 나갔다가 펼쳐질 끔찍한 상황을 상상하고 싶지 않다. 화장실 밖으로 나와 복도에 있는 긴 의자에 털썩 몸을 뉘었다. 숨이 차고 땀이 비 오듯 쏟아진다.

서서히 복통은 사라지기 시작했지만, 손과 발이 꼬이기 시작한다. 덜컥 겁이 난다. 이 통증 뭐지? 이러다 죽는 건가? 갑자기 왜 이러는 걸까? 배속에 생각하고 싶지 않은 무언가 들어있는 것일까? 전에도 이런 적이 있었던 것 같은데. 그래, 그때도 지금과 비슷한 통증이었지! 간신히 손에 들고나온 핸드폰으로 후배에게 전화를 걸었다.

"은지야 복도로 나와줘. 최대한 빨리!"

지난번처럼 입까지 마비되면 안 된다. 은지에게 손을 주물러 달라고 한다. 백지장 같은 얼굴 때문에 은지가 깜짝 놀랐다고 말한다.

"선생님 무슨 일이에요!"

"손! 손!"

아직 어지럽다. 은지가 손을 주무른 지 30분쯤 지났을까? 이제 몸을 조금 들어 올릴 수 있을 것 같았다. 유선 씨도 나왔다. 호흡이 정상적으로 돌아왔다. 얼굴에 핏기가 돌아오는 느낌이 들었다. 아! 이렇게 죽을 뻔했던 30분. 마치 30시간. 아니 30일처럼 길고 고통스럽던 시간. 이러다 정말 죽는 게 아닐까 생각했는데 다행이다. 나는 큰 한숨을 내쉬었다. 온몸에 긴장이 풀렸다. 살았다는 안도감이 온몸에 퍼졌다. 삶과 죽음은 정말 찰나라는 생각이 들었다.

유선 씨가 내 팔을 자신의 어깨에 두르고 휴게실까지 천천히 걸어 주었다. 머리도 엉망진창일 텐데, 윗도리는 말려 올라가지 않았을까 걱정이 되었으나 체면 차릴 힘이 없었다. 끌려가다시피 휴게실에 도착해 이불 위에 누웠다. 그때 함께 나와준 은지와 유선 씨가 얼마나 고마웠는지 모른다. 유선 씨도 저혈압 증세가 가끔 있어서 이런 적이 여러 번 있었다고 했다. 설사가 아니라 계속 토하기를 반복하기도 했다고 한다. 혈압이 낮아지면서 몸은 안에 있는 배설물을 밖으로 내보내려고 하고, 혈압이 급속도로 떨어져 어지럽고 힘이 빠지면서 진땀이 한동안 계속 나온다고 했다, 혈액이 잘 흐르지 않으니 손발이 저리고 마비 증상까지 오는 거라고 했다.

한 번도 쓰러져본 적 없었고 입원도 해본 적 없이 건강했었는데 갑자기 쓰러지다니 겁이 났다. 한 달 전 새벽에 비슷한 증상으로 깜짝 놀란 적이 있다. 그때는 '자다가 무슨 갑작스러운 설사인가?' 하고 가볍게 생각했지만, 마비 증상까지 있었기 때문에 약간

이상하다고 생각을 했다. 하지만 그때는 곧바로 정상적인 컨디션으로 돌아왔기 때문에 병원에 가지 않았다. 나중에 알았지만, 저혈압 진단을 받아도 저혈압 증세에는 약이 없어서 평소에 혈압이 내려가지 않도록 조심하는 수밖에 없다고 했다.

나도 나이가 들었나 보다. 항상 건강하다고만 생각했던 나에 대해 다시 생각하게 되었다. 그동안 미래를 준비하기 위해 지금 누릴 수 있는 많은 것들을 참으며 살아왔다는 생각이 들었다. 아무도 없는 곳에서 저혈압으로 쓰러지기라도 하면 그 자리에서 죽을지도 모른다는 생각이 들자 지금까지 살아왔던 것처럼 살고 싶지 않았다. 보고 싶은 사람, 하고 싶었지만 못했던 일, 가고 싶었던 낯선 곳들도 가보고 싶어졌다. 그렇게 아픈데도, 죽음의 공포가 그렇게 나를 덮치고 있는데도, 오히려 생의 욕망은 더 강하게 꿈틀거리고 미련은 더 진하게 다가오고 있었다니, 슬프고도 흥미로운 일이다. 그날 이후 나는 하고 싶은 일들을 많이 하고 살아야겠다고 다짐했다.

이런 일이 있은 다음 내 삶을 누리기 위해 '지금,

이 순간' 온 마음을 다해 즐기고 있다. '보고 싶은 사람은 만나야지, 가고 싶었던 곳도 가봐야지, 하고 싶었던 일도 다 해봐야지.'라는 생각으로 하나씩 실천하면서 오늘 하루도 열심히 즐기고 있다. 매일 아침 열심히 실내 자전거를 탄다. 그동안 운동을 조금밖에 못 해 왔는데 건강을 위해서 더 열심히 하고 있다.

5년 동안 못 만났던 남동생을 만나러 서울로 갔다. 5년 만의 만남이라니 그것도 동생하고. 그동안 못했던 이야기들을 하다 보니 서로 말은 하지 않았지만 그리워하고 있다는 것을 알았다. 10년 동안 연락하지 못했던 친구도 만났다. 그동안 소홀했던 남편에게도 많이 사랑해 주고 아이도 더 많이 사랑해 주고 있다.

세상이 이렇게 아름다운 것인지, 눈에 보이고 피부로 느끼게 되었다. 직장을 다니면서 그동안 시인이 되고 싶었던 꿈을 위해 하루 3개 이상 시를 짓고, 21년 12월 초 출판사에 투고하고 22년 2월에 시집 한 권이 세상에 나왔다. 내 이름으로 시집이 나오니 세상을 다 가진 기분이 들었다. 22년 3월부터 꿈의 도서관에서 시작한 '시 창작 시 낭송 클래스'도 지금까지 진행하고 있다. 날아갈 것 같은 즐거움과 감상적인 일상을 살고 있다.

지금은 에세이도 쓰고 있다. 22년 가을 '브런치 작가'가 되었다. 내가 하고 싶은 일을 하나씩 하나씩 해나가고 있다. 먹고 싶은 음식을 먹고, 하고 싶은 운동을 하고, 하고 싶은 공부를 하고, 여행도 한다. 블로그에 글도 올린다. 나는 비로소 이제야 삶의 생생한 맛을 느끼며 하루하루를 소중히 여기며 살고 있다. 지금 갑자기 죽는다고 해도 오늘을 즐거움으로 가득 채우면 아쉽지 않을 것 같다. 다시 내게 갑작스러운 저혈압의 순간이 오더라도, 조금 '덜 아쉬워하기 위해' 오늘도 삶을 채운다. 나는 그럴만한 가치가 있는 사람이니까.

낮은 베개가 주는 편안함

30대까지는 잠을 잘 때 베개가 필요하지 않았다. 지금은 베개를 꼭 베고 잔다. 높은 베개를 좋아하는 사람도 있지만 나는 낮은 베개를 좋아한다. 어릴 때는 엄마가 준비 해주신 폭신한 아동용 베개가 있었다. 십 대의 어느 날 TV에서 '애모'라는 노래를 부른 가수 김수희의 인터뷰를 보게 되었다. 목에 주름도 없고 미모 관리를 어떻게 하느냐는 질문에 '평생 베개를 베지 않아요'라는 대답을 들었다. 베개를 안 베고 잔다고? 그날부터 나는 베개를 베지 않았다. 30대 초반까지는 말이다.

지금도 목에 주름이 많지 않지만 어릴 때부터 베개를 안 베고 자서 그런 건지 확실하지는 않다. 유전적인 영향이 가장 클지도 모르겠다. 그때 삼 십 대 초까지는 계속 베개를 베지 않고 살아야겠다고 생각했다. 그런데 결혼 후 베개가 필요하게 되었다. 임신했을 때까지도 베개 없이 잠드는 일이 편했지만, 출산 후 수유할 때 필요한 것이 베개였다. 출산 경험이 있는 엄마라면 누워서 하는 수유 자세를 알고 있을 것이다. 밤중 모유 수유를 할 때였다. 아이가 젖을 먹기 위해서는 내가 옆으로 누워야 했다. 젖을 입에 문채로 잠드는 것을 좋아하는 아이를 재우려면 반드시 취해야 하는 자세였다. 우량아였던 아이를 안고 잠들 때까지 기다리고 있다가는 내 손목이나 허리가 끊어질 것 같았다. 장장 18개월을 수유했는데 밤마다 그 자세를 취해야 했기에 베개가 꼭 필요했을 수밖에. 잠들 때까지 베개를 접어 머리를 높게 한 다음 옆으로 누워 수유하던 그때도 목에 주름이 생길까 걱정이 되었다. 모유 수유가 끝나고 나서는 옆으로 누운 자세로 아이를 재우지 않아도 된다는 사실이 너무 기뻤다. "이 또한 지나가리라"는 문구가 그 시절을 버티고 견디게 해주었다.

그 뒤로 베개 없이 자려고 하니 허전했다. 오랜 시간 폭신한 베개에 편안한 맛이 길들어져서 그런 것이었는지도 모르겠다. 바로 누워도 목덜미가 허전한 것이 머리가 뒤쪽으로 한참이나 기울어진 기분이 들었다. 베개가 필요했다. 집 근처 모던하우스에서 판매하는 땅콩 베개를 샀다. 아이도 하나 나도 하나. 그 뒤로 높이가 낮은 베이비 전용 베개를 사용하기 시작했다. 땅콩 베개는 모양이 땅콩 같아서 그렇게들 부른다. 높이 5cm 정도라 목에 무리가 되지 않고 좋았다. 50*30 사이즈 정도 되는 아이들 베개가 나에게 딱 좋았다. 주기적으로 몇 번 땅콩 베개를 새것으로 바꿔 주니, 이제는 높이가 낮은 베개에 적응되어가고 있다. 이번에 새로 산 '핑크 베개'는 모던하우스 제품으로 사이즈는 50*30이고 땅콩 베개처럼 생겼으며, 충전재와 겉감의 소재가 모두 폴리에스터 100%이다. 이 베개의 장점은 세탁기에 넣고 물세탁을 해도 된다. 땅콩 베개는 오래되면 새것으로 갈아줘야 하는데 이 제품은 충전재까지 빨아서 사용할 수 있다는 점이 마음에 든다. 높이는 3cm. 완벽히 마음에 쏙 든다. 색은 연한 핑크색인데 이 베개가 단종되지 않았으면 좋겠다. 아이들에게도 인기가 좋지만, 나처럼 목주름에 관심 있는 엄마들도 이런 베개를 베면 좋을 것 같다.

낮은 베개를 베면 포근하다. 폭신하면서도 아늑한 느낌이 든다. 한없이 가슴이 무너져 내려 우울한 밤이 되면 소리 없이 흐르는 눈물도 조용히 받아준다. 내게 힘내라, 울지마라, 일어나라고 위로되지 않는 충고 따위는 하지 않고 그대로 기다려 준다. 흐르던 눈물이 멈출 때까지. 기분 좋은 날엔 몽롱한 꿈속으로 여행을 데리고 간다. 머리를 살며시 기대기만 하면 된다. 이 낮고 귀여운 핑크 베개의 편안함에 머리를 기대야만 꿈속으로의 여행 경로를 지날 수 있는 것처럼. 이 아이는 하루 동안 피로를 풀 수 있도록 나를 다독여주고 밤마다 숙면을 선물해준다. 지금은 고마운 친구처럼 내게 꼭 필요한 아이다.

커피를 좋아하세요?

나는 커피를 좋아하는 사람이 아니었다. 다만, 고등학교 시절부터 시험공부 할 때면 잠을 몰아내기 위해 커피를 마셨다. 그때는 커피 마시는 이유가 잠을 깨우기 위한 기능 외에 다른 것은 없었다. 직장에 다닐 때는 조금은 다른 의미로 커피를 마셨다. 잠시 쉬는 시간을 갖기 위해 마시던 커피, 달달한 믹스커피와 함께하던 짧은 휴식 시간이 좋았다. 아이를 양육하면서는 '책 육아'를 하느라 저녁마다 커피를 영양제 먹듯 꼬박꼬박 챙겨 마시고 그림책을 두 세시까지 읽어주었다. 최근에는 커피 전문점이 많이 생기기 시작하면서 더운 여름에는 아이스 아메리카노를 마셨고, 쌀쌀한 바람이 불 때는 따뜻한 아메리카노를 마시기 시작했다. 저혈압에도 커피 한 잔이 좋다는 연구결과가 있다는 이야기를 듣고 꾸준히 매일 한 잔씩 마시다 보니 커피의 향과 깊은 맛에 어느새 취해버렸다. 커피를 안 마시는 날 오후가 되면 뭔가 할 일을 하지 않은 듯한 기분이 들었다. 커피가 좋아지기 시작한 지 3~4년이 된 것 같다. 산미가 강하지 않으면서 고소하고 진한 맛이 좋다. 처음에는 원두를 살 생각도 못 했고, 시중에서 판매하는 원두 가루를 사다 내려 먹기도 했다.

점점 더 내가 원하는 맛이 생기고 좋아하는 맛을 추구하다 보니 어느새 원두도 사고 원두 그라인더도 사서 아침마다 커피를 내려 마셨다. 나라별로 독특한 맛과 향을 비교해 보기도 했다. 블로그 이웃님 중에 커피 전문가 '해you커피'님이 있다. 그녀가 올리는 커피에 대한 글을 읽으면서 다양한 볼거리와 역사적인 배경, 핸드드립 커피 내리는 방법 등을 글, 사진, 영상으로 조금씩 알아가게 되니 커피에 관심이 점점 더 높아졌다.

집 근처에 있는 컴포즈 커피숍에 자주 간다. 컴포즈의 원두는 굉장히 고급스럽다. 브라질 콜롬비아를 베이스로 깔고 커피의 고소한 맛을 중심으로 한다. 거기에 에디오피아 커피를 배합해 커피 특유의 쓴맛을 초콜릿 향이 나도록 블랜딩 했다. 이 원두를 여러 번 사 먹었다. 모든 매장에서 판매하지 않기 때문에 원두를 판매하는 매장을 물어보면 알려준다. 집에서는 스타벅스 원두 중 PIKE PLACE ROST를 구매해서 주로 먹는다. 원산지는 포루투갈이며 신맛이 거의 없고 진한 커피 맛과 고소한 맛을 좋아한다면 추천한다.

내가 커피를 내리는 방법은 그야말로 간단하다. 그저 물이 아래로 떨어지는 중력에 의해 추출되는 커피를 즐겨 마시고 있다. 원두를 갈 때 가루에서 나는 커피 향의 매력은 매혹적이다 못해 치명적이다. 방금 기계에서 갈아놓은 원두 가루에 가까이 코를 들이대고 커피 향을 맡는 내 얼굴을 거울로 들여다보고 싶다. 커피를 갈아서 바로 내려 마시면 그 향이, 그 맛이, 그 분위기가 내게는 하루를 빛나게 하는 에너지가 된다. 그날의 쓸 에너지를 충분히 충전하는 커피 내리는 시간이 참 좋다.

새벽에 일어나서 잠들었던 머리를 깨우는 엄숙한 나

만의 의식이기도 하다. 원두를 갈아서 필터에 넣고 뜨거운 물을 커피 가루 위에 붓는다. 번잡하지 않은 몸의 익숙한 움직임이 끝나면 코를 자극하는 향기가 집안을 감돌며 커피가 내려진다. 이렇게 나 자신만의 커피를 즐기면서 커피 내리는 행위 자체를 좋아하게 되었다. 아침 시간을 정성 들여 할애한다. 직접 내가 만들어 내린 커피 맛이 전문적이지는 않겠지만 제법 마법사다운, 아니 마법사의 조수가 된 기분이 든다. 간소하지만 나만의 정성이 깃들어 있는 아침 커피 시간이다.

커피는 경험이다. 누구와 어디에서 어떤 이야기꽃을 피워냈느냐 하는 경험 말이다. 이런 경험을 나는 사랑한다. 그 어떤 선물보다 소중한 경험이다. 누구와 함께 시간을 공유한다는 기억, 소중한 시간을 커피와 함께할 수 있어서 커피타임이 더욱 좋다. 처음 만나는 사람도, 자주 만나는 친구도 분위기 좋은 커피숍에 가면 우리 내면의 무수한 이야기를 꺼내며 만날 수 있다. 서로 사랑하는 이야기와 살아가는 이야기를 듣고, 들려주는 커피타임은 우리를 아름다운 경험의 시간으로 데려간다. 그러다 보니 커피의 매력에 빠질 수밖에 없다. 이런 시간을 사랑하는 사람들이 많으니 요즘 멋진 카페가 어디에나 들어서고 잘 되는 것 아닐까?

우리의 삶을 풍요롭게 만드는 것은 서로 아름다운 경험을 나누고, 소소하고 간소한 일상에서 행복을 찾는 것이다. 커피는 하루를 힘차게 시작할 나를 충전하고, 사랑하는 사람과 환하게 웃으며 대화할 수 있는 좋은 시간을 선물한다.

“저는 커피를 좋아합니다. 당신도 커피를 좋아하세요?”

내 마음의 온도 따뜻하게 유지하는 방법

감성이 풍부한 나는 좋은 일이 있을 때면 웃음을 참지 못하고 큰소리로 웃으며 입이 귀에 걸린다. 반면 슬픈 일이 생길 때면 30초 만에도 눈물이 쏟아지곤 한다. 무언가 해결되지 않아 힘든 일이 계속될 때는 나를 자책하며 우울의 소용돌이 속에서 벗어나지 못해서 힘들어할 때도 있다. 그 일의 결정권이 내게 없는 경우는 더욱 그렇다. 내가 할 수 있는 일이 아무것도 없어서 슬퍼한다. 슬퍼하며 우울해하다가 며칠을 눈물 속에서 허우적댄다. 이렇듯 나는 감정 기복이 들쑥날쑥할 때가 있다.

마음의 평온함을 유지하고 싶어 여러 가지 노력을 하지만 저녁에 혼자 있는 시간이 되면 잠을 청해도 눈물이 베개를 다 적신다. 내가 할 수 있는 일이 없다면 마음먹은 대로 되지 않기 때문에 쉽지 않은 일이지만 내 마음을 다른 방향으로 돌려야 한다. 그래야만 정상적인 일상을 지낼 수 있으므로.

나 스스로 에너지를 쏟아 마음을 따뜻하게 유지해 나가는 세 가지 방법을 소개해 본다. 첫째, '목표를 세운다.' 한 가지 목표를 세우고 그것을 이루기 위해 노력한다. 스스로에 대해 나아가고 있다는 자신감을 얻기 위해서다. 어려운 상황에서도 끝까지 포기하지 않는 힘을 기를 수 있고 목표에 대한 작은 성공의 경험을 할 수도 있다. 구체적인 방법으로는 도서관에서 하는 문화강좌를 수강하거나 박물관에서 할 수 있는 체험 프로그램을 신청하고 배울 수 있다면 그 일에 집중한다. 글쓰기 강좌나 독서 관련 강의를 듣는 것도 좋다. 직장에 다닌다면 담당하는 업무에 성과를 올리기 위한 배움이나 자격증을 따기 위해 공부하는 것도 좋다. 도전하고 성취한다면 작은 성공 경험을 또 한가지 쌓을 수 있게 된다.

둘째, '긍정적으로 생각한다.' 긍정적인 마인드를 유지하면 스트레스와 불안감이 줄어든다. 마음을 안정시키는 데 도움이 될 뿐 아니라 문제에 대한 새로운 가능성을 찾을 수도 있다. 내가 원하는 방법으로 진행되지 않는 일을 다른 시각으로 바라본다. 어쩌면 이 방법이 더 길게 가는 방법이기도 하니 내게 분명히 도움이 될 것이라 여긴다. 그리고 그 방법에 익숙해지도록 긍정적으로 생각한다.

셋째, '자신을 더욱 돌본다.' 자신이 좋아하는 것을 하면서 즐거움을 느끼고 그것을 자주 할 수 있도록 시간을 낸다. 책을 읽는 시간이 나는 가장 좋다. 나의 경우 책을 더 많이 읽는다. 날씨가 좋은 날은 걷기도 많이 한다. 단순하게 산다. 그리고 힘들 때는 힘들다 이야기하고 도움을 요청하는 것도 좋은 방법이다. 사람은 사람이 치유한다는 말을 믿는다. 내 주변에는 생각보다 나를 사랑해 주는 분들이 많다. 누군가 날 위해 마음을 쓰고 나를 아끼고 있다는 사실을 잊지 말아야겠다.

떠날 때는 가볍게

전화벨이 울렸다.

"여보세요."

새벽 5시다. 엄마가 무슨 일로 이 시간에 전화를 하셨을까?

"아빠 돌아가셨다. 새벽에 확인했어. 지금 경찰서 진술하러 가니까. 애 일어나면 천천히 와."

"뭐라고? 아빠가 돌아가셨다고?"

"응. 전화를 계속 안 받으시길래 2층 환희 아빠 보고 집으로 좀 내려가 봐 달라고 했더니 돌아가셨다고 빨리 오라고 해서 왔어. 심장약 거실에 두고 주무셨나 봐. 하필 오늘 혼자 계실 때 그랬네. 아이고 어떡하니."

"응 엄마. 괜찮아?"

"...... 2층에 환희 아빠가 처음 목격자라고 해서 같이 있어. 경찰서 가서 조사에 응하고 있을 테니 천천히 와라."

갑작스러운 소식을 듣고 "부모는 자녀를 기다려 주지 않는다"라는 말이 떠올랐다. 그래도 그렇지 이렇게 빨리 가시다니. 7년 전 아빠 나이 60세였다.

아빠가 남기고 간 물건들을 혼자 정리하며 힘겨워했던 엄마가 떠오른다. 아빠가 갑자기 심장마비로 영면했을 때 얼마나 많은 물건이 집안에 가득 차 있었는지. 1톤 트럭으로 두 번이나 실어 날랐다고 했다. 부모님은 평소에 버릴만한 물건을 버리거나, 정리하지 못했다. 그동안 쌓아 두었던 물건의 양은 어마어마했다. 집에 있다는 사실도 몰랐던 물건들이 산더미같이 쌓여 밖으로 버려졌다. 심란하고 슬픈 일을 감당하고도 혼자 그 많은 짐을 정리해야 했던 남은 자의 괴로움을 보았다. 일주일을 넘게 버리고, 추억을 곱씹으며 울다 웃다 그 시간을 오롯이 홀로 보내야 했던 엄마는 너무나 힘들어 보였다. 그전에 살던 집에서부터 시작된 인연의 물건도 있었겠지만 아무리 그래도 15년 살던 빌라에서 그렇게 많은 짐이 나오다니 놀랍기만 했다. 엄마는 그 안에 있던 아빠와의 추억을 소중히 정리할 여력은 전혀 없어 보였다. 나는 정리 같은 거 하지 말고 그냥 다 버리라고 했다. 그때 거의 모든 물건을 다 버렸다. 그리고 한참 뒤 엄마는 새로운 물건을 하나씩 샀다. 새로운 사람과 새로운 추억을 만들고 싶었을까. 이때 버린 물건 중 나의 어릴 적 모든 추억도 쓰레기처럼 버려졌다.

아빠가 갑자기 떠나고 나서 여러 가지 생각을 하게 되었다. 병원에 오래 입원해 계셔서 통증으로 고생하시지 않고 일상생활을 하시다가 돌아가신 일은 남아 있는 가족에게는 고마운 일이었다. 병원에 다니며 아파하는 모습으로 아빠의 마지막 기억을 남겨두지 않아도 되고, 또 병간호로 고생하지도 않았으니 그것도 감사한 일이다. 하지만 그 많은 물건을 그대로 두고, 바람같이 사라져 버린 일은 아무리 생각해도 대단히 외로운 작업을 물려주고 가신 셈이다. 한 사람의 생이 마감되면 함께 사그라질 물건들은 남은 사람을 위해 최대한 적은 것이 좋겠다. 사람은 올 때나 갈 때나 아무것도 손에 들지 않는다. 아무런 물건이 필요하지 않다. 내가 가볍고 간소한 삶을 추구해 나가고 있는 이유 중 하나는 떠날 때를 생각하기 때문이다. 그렇다고 부모님께 가실 때를 염두에 두고 지금부터 조금씩 정리하라는 말은 입에서 떨어지지 않을 것 같다.

『내가 내일 죽는다면』의 마르가레타 망누손 작가는 지혜로운 방법을 제안해 주고 있다. "죽음을 가정하고 주위를 정돈해 보자" 데스 클리닝을 틈틈이 준비한다. 부모님께는 최대한 부드럽고 상냥하게 질문을 던져라.

"좋은 물건들이 많긴 한데, 이 많은 것들을 나중에 어떻게 하실 생각이세요?"

이때 부모님 말씀을 들어주는 것이 중요하다.

"이것들 다 마음에 드세요?"

"혼자 계시게 되면 너무 많은 것들이 남겨져 있지 않게 제가 같이 천천히 할 수 있는 일은 없을까요?"

부모님이 화제를 바꾸거나 대답하지 않을 수도 있다. 몇 주 뒤 몇 달 뒤 한 번씩 이야기를 시작해 보는 것도 좋겠다.

내일 내가 죽는다면 나를 둘러싼 많은 물건은 어떻게 될까? 한 번쯤 죽음을 가정하고 주변을 정돈해 보는 것을 추천한다. 세상을 떠난 후 사랑하는 사람들이 내 물건을 정리하게 될 텐데, 처리할 때 부담을 덜어주는 일은 내가 살아있을 때 해야 한다. 혹시나 내가 어떻게 되더라도 사랑하는 누군가에게 폐를 끼치지 않을 수 있을 것이다. 내 물건을 미리 정리해 보자. 이런 시간은 앞으로 유한한 나의 시간을 어떻게 가치 있게 보내게 될지 생각해 보는 기회가 될 것이다.

"단순한 생활, 단순한 관계, 단순한 공간, 단순한 사람이 좋다. 단순하다는 것은 기본에 충실하다는 것이다."

-고선애-

"나는 지금 내가 얼마나 사랑스러운지 알고 있다. 사랑스러운 나를 만나려면 나를 잘 아는 것이 먼저다."

-고선애-

“내일 내가 죽는다면 나를 둘러싼 많은 물건은 어떻게 될까? 한 번쯤 죽음을 가정하고 주변을 정돈해 보는 것을 추천한다.”

-고선애-

Chap.2

고 3 엄마가 보는 우리나라 교육계

강민주

대한민국에서 처음으로 수능 시험을 치른 수능 1세대다. 현재 고1, 고3 아들을 키우고 있고 초중고 학교 현장에서 비경쟁 독서 토론 교육을 하고 있어서 우리나라 교육 현실에 관심이 많다. 사람들이 교육에 더 많이 관심을 가져 긍정적인 교육 백년지대계가 이루어지길 바라고 있다. 현재 에세이스트이자 에르디아 공인 퍼실리테이터다.

고3 엄마가 보는 우리나라 교육계

2023년 한 해, '중꺾마'의 열풍으로

나의 고3 시절

사교육과 킬러문제의 상관관계

출렁이는 수능호, 요동치는 고3들

수험생의 번 아웃

2024년 더 높은 대학들로 향하는 이카루스들

미래를 향해 달리는 불나방들에게

2023년 한 해, '중꺾마'의 열풍 속으로

2022년 연말, 신문 기사를 뒤적이다 보니 '중꺾마' 라는 단어가 유독 눈에 띄었다. 정확히 카타르 월드컵에서 우리 축구팀의 16강 진출이 확정되고 난 뒤부터다. 2022년 12월 3일 한국 축구 국가대표팀 선수들은 16강 출전이 확정되고 난 뒤, '중요한 것은 꺾이지 않는 마음'이라는 문구가 적힌 태극기를 쥐고서 사진을 찍었다. 2002년 월드컵이 '꿈은 이루어진다' 라는 희망찬 꿈의 물결이었다면, 2022년 월드컵은 '중요한 것은 꺾이지 않는 마음'의 굳은 다짐이었다. 많은 변화와 참사가 일어났던 2022년, 꺾이지 않는 마음 없이는 평범한 일상을 살아내기가 어려웠다.

'중꺾마'는 '중요한 것은 꺾이지 않는 마음'의 줄임말로, 주로 MZ세대(1980년대 초~2000년대 초 출생)

가 많이 사용하는 단어다. 처음에는 월드컵 응원 슬로건으로 만들어진 어휘인 줄 알았다. 뜻밖에도 이 용어는 온라인 게이머 김혁규의 발언에서 시작되었다. <한국일보>의 강윤주 기자는 '중꺾마'의 시작은 한국팀 DRX의 주장 '데프트' 김혁규 선수의 인터뷰라고 설명한다. 유독 '월드컵'과는 인연이 없었던 선수는 1라운드 패배 이후 한 언론과의 인터뷰에서 "지긴 했지만, 저희끼리만 안 무너지면 충분히 이길 수 있을 것 같다"라고 의견을 밝혔다. 그리고 기자가 그 발언의 맥락을 살려 '중요한 건 꺾이지 않는 마음'이라는 제목을 달았던 것이 '중꺾마'의 탄생 비화라는 이야기다.

MZ세대 사이에서 올해의 단어로 추앙받는 단어는 '중꺾마'이다. 나 역시도 올해 2023년 계묘년의 새해 소망은 이 단어와 함께하기로 했다. 비록 MZ세대는 아니지만, 올해는 특히나 '중꺾마'의 마음이 필요한 시기이다. 내심 '중꺾마'의 마음뿐만 아니라 모든 결과물이 좋기를 바라는 기대도 하고 있다. 하지만 이런 추상적인 마음만을 붙잡고 올 한 해의 끝을 맞이한다면 좀 서글플 것 같다.

드디어 큰 애가 고3이다. 초등 6년, 중학교 3년을 지나고 고등학교 3년 중에서도 마지막 1년의 힘든 싸움을 앞두고 있다. 아들의 친구들은 요즘 윈터스쿨이며, 학원이며 엄청난 강행군으로 바쁜 겨울방학을 보내고 있다고 한다. 마지막 기회의 순간이니만큼 대부분의 학교 친구들은 대치동 학원가에서 겨울방학 내내 고강도의 수업을 받는 모양이다. 이처럼 치열한 경쟁 속에서 우리 큰애는 굳건하게 마음을 잘 유지할 수 있을까?

세상 모든 일이 다 그렇겠지만, 단단한 마음을 유지하기란 쉽지 않다. 해가 바뀐 첫날 비장한 마음으로 새해 계획을 세웠어도 이런저런 유혹, 예기치 않은 계획이 스며들면 조금씩 결심이 무너지기 마련이다. 아무리 작심삼일을 반복하며 마음을 다잡아도 연말이 되면 연초에 무슨 계획을 세웠는지 까먹는다. 그 결심이 매해 반복되는 것을 다행으로 여겨야 할까?

이제 큰 애는 일련의 반복마저도 끝내야 하는 시점이다. 어쩌면 아들에게 가장 중요하다고 할 수 있는 올해 1년, 부디 흔들리지 말고, 기죽지 말고, 지금까지 했던 것처럼 자기만의 속도로 목표를 잘 이루었으면 하는 바람뿐이다. '중꺾마', '중요한 것은 꺾이지 않는 마음', 어떤 일이 생기더라도, 뜻하지 않는 장애물이 그 녀석을 뒤흔들더라도 잘 이겨줬으면 좋겠다.

엄마인 나 역시도 한 번 더 마음을 다잡아 본다. 올해 가장 중요한 것은 큰애의 대학입시이다. 이런저런 상황에 흔들리지 말고, 아들을 믿고 올 한 해 열심히 살아 보련다.

나의 고3 시절

사람들이 독서 토론을 즐기는 이유는 책이라는 매개체를 통해, 하고 싶은 말과 밖으로 표출하고 싶은 생각을 이야기하고 싶기 때문이라고 한다. 누구나 살면서 사람들을 만나고 헤어지며 자신만의 이야기를 만들어 간다. 그 이야기들은 살아온 세월만큼 겹겹이 쌓여 때로는 마음속의 상처로 남기도 한다. 가끔은 허심탄회한 대화로 묵은 상처를 훌훌 떨쳐 버리고 새로운 이야기를 만들어야 하는데, 일상에 지치다 보면 그마저도 하기 힘들다. 마음 건강을 위해선 본인을 옥죄고 있는 암울한 기억에서 벗어나 독서로든, 글로든 속 시원히 풀어내는 과정이 꼭 필요하다. 그 여정이 숨겨두었던 아픔을 콕콕 찌르는 시간이 되더라도 말이다.

시간이 날 때마다 마음이 편한 동네 친구들과 속내를 털어놓는 기회를 자주 가졌다. 두 아들을 낳고 힘들었던 일, 아이들을 키우며 느낀 수많은 사건에 대해 수다를 떨면 모든 스트레스가 금방 풀렸다. 하지만 이상하게도 나의 학창 시절 이야기만은 쉽게 털어놓을 수 없었다.

고3 시절에는 누구나 성인이 되는 길목에서 첫 번째 성장통을 겪는다. 그렇기에 성인이 되어서도 수험 생활에 대한 수많은 영웅담과 노력은 쉽게 이야기 나눌 수 있는 주제이다. 하지만 나의 고3 시절은 마음속에 고요히 침체된 '인생의 암흑기'요, 말할 수 없었던 금기어였다. 30년이 지났지만, 여전히 그때의 기억은 아픔으로 남아서 악몽을 꾼 것 같다. 그래서 지금부터 용기 내서 하는 고백은 암울했던 기억과 아름답게 이별하기 위한 시도이다.

고등학교 시절의 나는 비참하고 무기력했고 바보 같았다. 공부를 그다지 열심히 하지 않았고, 매일 비참한 현실을 잊어보려고 책에 파묻혀 살았다. 워낙 공부를 잘했던 2살 터울 오빠와 동시에 고등학교 생활을 시작했다. 우리 집안과 온 동네의 기대주였던 오빠는 고3이었고, 나는 고1이었다. 대충 벼락치기로 공부해도 성적이 잘 나왔던 중학교 시절은 이미 지나갔다. 고등학교에서 성적을 잘 받을 수 있는 비결은 두뇌가 아니라 오로지 끊임없는 노력만이 중요했다. 하지만 그 당시의 난 이런 사실을 미처 깨닫지 못했다. 연합고사를 본 후 고등학교에 진학하기 전 중3 겨울방학을 슬렁슬렁 놀면서 보냈다. 읽고 싶었던 책만 마음껏 읽으면서 아까운 시간을 흘려보냈다.

고등학교 입학 후 치렀던 고1 첫 시험, 시험결과가 나온 후 깨달았다. '아, 이제는 공부하지 않으면 안 되겠구나.' 시험 범위가 정해지지 않은 수학은 고등학교 내내 내 발목을 잡았고, 무엇을 어디서부터 공부해야 좋을지 알 수 없었다. 그해 온 가족의 관심은 고3이었던 오빠의 입시에만 쏠려 있었다. 중학교 때에 비해 좋은 성적을 받지 못한 나는 우리 집안의 '미운 오리 새끼'였다. 시험 치고 성적을 받을 때마다 아버지는 엄청나게 화를 내셨다. 나도 확연하게 오빠와 비교되는 성적을 볼 때마다 마음이 쪼그라들었다. 하지만 성적이 마음에 안 든다고 해서 '대입 재수'는 상상조차 할 수 없는 금기어였다.

어찌할 바를 모르고 방황하던 시절, 대입 시험이 전면 개편되었고 나는 수능 1세대가 되었다. 어떤 이는 비운의 세대라고 우리 학년을 칭했지만, 나에게는 그 시험 개편이 또 다른 기회가 되었다. 모순적이게도 비참했던 고등학교 시절을 잊어보려 읽었던 만화책들, 소설들은 영어와 국어 시험을 잘 볼 수 있는 총알이 되었다. 요즘 엄마들이 그렇게도 아이들에게 길러 주고 싶어 하는 '문해력'이 자연스럽게 길러진 것이다. 몰래 책상 밑에서 읽었던 책들은 아버지의 손에 갈기갈기 찢어지기도 하고, 때로는 욕조에 던져지기도 했다. 나와 함께 아픈 기억을 함께 했던 책들이 이런 식으로 도움을 줄지 누가 알았으랴? 어쩌면 '학력고사'에서 '수능'으로 바뀐 것은 나에게 천운이었는지도 모른다.

아버지는 당신의 기준에 미치지 못하자 나를 포기해버렸고, "네가 알아서 해라"라고 선언했다. 대입 원서를 쓸 당시, 나는 혼자서 어찌할 바를 모르다가 그나마 익숙한 '국문학과'를 선택했다. 철저한 실용주의자인 아버지의 입장에서는 전혀 쓸모없는 학과인 국문과 말이다. 오빠처럼 천하를 호령할 수 있는 법학과도 아니었고, 동생처럼 돈을 많이 벌 수 있는 약학과도 아니었다. 이도 저도 아닌 마음으로 그나마 마음의 위안이 가득할 것이라 예상한 학과로 도망치며 나는 고등학교 시절을 마감했다.

절실하게 공부와 싸워보지도 못한 고3 시절이었다. 성적을 향한 아버지와 신경전은 너무도 피곤했고 무서웠다. 어떻게 공부해야 좋을지 모를 막막함과 무능력한 내 모습에 실망하던 나날이었다. 다시 '중3 겨울방학'으로 돌아가서 새롭게 시작하고 싶은 마음뿐이었다. 한마디로 나약하고 게을러서 당시 동생이 자주 내뱉었던 말처럼, '의지박약아'의 모습이었다. 자기 미래를 향해 열심히 달려보지도, 노력하지도 않는 불쌍한 사람이 바로 나였다.

그 시절 아버지의 분노는 나의 괴로움이 되었고, 그분의 성적 지상주의는 나의 좌절이 되었다. 가끔 나의 과거가 엄마의 불안으로, 다시 아이들의 불안으로 이어지는 것이 아닌지 두렵다. 매일 힘든 학창 시절을 지나고 있는 아이들을 지켜보며 내 마음을 한 번 더 다져본다. 나와 같은 아픔을 우리 아이들은 겪지 않기를 바라면서 말이다.

공부에 힘겨워하고 있는 우리 아이들을 바라보며 종종 나는 '고등학교 시절의 나'를 떠올린다. '얼마나 외로웠니? 얼마나 힘겨웠니?' 매몰찬 입시 현실과 아무리 해도 오르지 않는 성적 속에서 힘들어했던 과거의 나에게 따뜻한 손길을 내밀고 싶다. 지금 우리 아이들에게 건네는 위로, 공감, 대화는 모두 그런 내 경험에서 비롯되었다.

고3, 지나고 보면 별거 아니다. 물론, 이 고등학교 시절이 나머지 인생을 좌우할 만큼 엄청나게 중요한 시간임은 분명하다. 하지만 고등학교 성적이 잘 나오지 않는다고 해서 부모가 자식을 구박하고 미워할 면죄부를 가진 것은 아니다. 결국, 이 고등학교 시절도 모두 아이들의 미래를 위한 디딤돌이니까 말이다. 아이들의 성적이 잘 나오지 않아도, 아이들의 결과가 내 기대에 미치지 않아도, 언제나 아이들을 먼저 바라보고 사랑할 수 있기를 마음속 깊이 기도한다.

사교육과 킬러문제의 상관관계

'닭이 먼저냐, 달걀이 먼저냐'는 질문은 호사가들에게 재미있는 입씨름 주제다. 닭이 있기에 달걀을 낳을 수 있고, 달걀이 있어야 닭이 생긴다. 이 질문은 논쟁가들이 서로 얼굴 붉히며 팽팽하게 입씨름하다가 '에이 몰라, 그냥 다른 거나 하자'라며 기껏 벌였던 토론 판을 엎기에 참 좋은 논쟁거리다. 두 주제 모두, 어느 한쪽 편을 들기 힘들다는 소리다.

최근에 교육계에 또 하나의 뜨거운 토론 거리가 탄생했다. 바로 '사교육 카르텔과 수능 킬러 문제' 논쟁이다. 2023년 6월 15일 '수능에서 킬러 문항을 배제하라'라는 대통령의 지시 이후, 교육계는 그야말로 거센 폭풍우에 휩싸였다. 그리고 바로 다음 날, 정부는 6월 모의평가 난이도 조절과 관련해 평가원 대상 감사 방침을 밝혔다. 이 선언 이후, 한국교육과정평가원장은 "모의평가를 문제 삼아 평가원을 감사하는 것은 사상 초유의 일"이라며 기관의 장으로서 모든 책임을 진 채 사임했다. 올해 수능이 150일도 안 남은 시점이다.

대통령의 말 한마디에서 시작된 성급한 불씨는 지금까지도 사그라지지 않고 점점 불길이 더해지고 있다. 우선 여당은 "사교육 카르텔을 혁파"하겠다며 윤석열 대통령 발언을 옹호하고 있고, 야당은 대통령의 성급한 발언으로 인해 "수능 대혼란"을 야기했다는 반발로 맞서는 추세다. 급기야는 교육부까지 나서며 최근 3년간 나온 '킬러 문항'(초고난도 문항) 26개를 공개하고 올해 수능에서는 이런 종류의 문항을 배제하겠다고 말했다. 또 교육부는 수능만이 아니라 논술·구술 등 대학별 고사도 이런 문항을 없애겠다고 했다. 한마디로, 올해 2023년 수능은 모든 이가 해답을 찾지 못하고 서로의 입장만이 팽팽히 맞서는 '대혼란의 수학능력시험 현장'이 될 모양이다.

정부가 주장하는 것처럼, 수능의 '킬러 문제'가 그동안 팽배했던 사교육의 원인이었을지도 모른다. 사교육 전문가들의 주장처럼, '킬러 문제'가 없어진다면 최상위권과 상위권, 중위권 학생들을 구분할 수 없어 대학에서 인재들을 뽑기 어려워질지도 모른다. 이 논쟁은 '닭이 먼저냐, 달걀이 먼저냐'하는 문제처럼, 서로의 주장이 너무 그럴듯하여 쉽게 선택하기가 어려운 문제다. 하지만 수능이 150일도 안 남은 시점에서 이토록 심각한 문제가 갑작스레 '툭' 불거져 나왔다는 점만은 현 고3 부모로서 도무지 이해하기 어렵다.

아이들이 지금까지 힘들게 노력하고 애써온 결과를 가늠하는 시험이 바로 코앞이다. 여당도, 야당도, 사교육 전문가들도 서로 주장만 앞세우며 정확한 해답을 내놓지 못하는 교육 문제가 '닭이 먼저냐, 달걀이 먼저냐'는 호사가들의 즉흥적인 논쟁처럼 이 시기에 성급하게 불거져 나와야 했을까? 그토록 부모의 지갑을 위협하는 사교육비용과 위축된 공교육의 현실이 걱정되었다면 이렇게 성급하게 불난 곳에 기름부터 퍼부어서는 안 된다. 좀 더 차근차근 계획을 세우고 이런저런 절차에 대해 국민의 동의를 얻으며 이 문제에 대해 논의했어야 했다.

교육계를 팽팽하게 장악하고 있는 사교육의 문제는

대통령의 지시대로 단순히 수능에서 킬러 문항을 없앤다고 해결될 문제는 아니다. 현재 정부는 수능과 입시에서 '킬러 문항'을 없애고 공교육을 받은 모든 학생이 풀 수 있는 문제로만 채우려고 한다. 한마디로, 모두가 겉으로 보이는 똑같은 출발선의 '평등'을 추구하려는 것이다. 하지만, 그 이면에 개인마다 각각 다른 능력치와 사회 환경, 경제적인 상황 차이는 어떻게 해결할 것인가? 애초부터 서울과 지방의 교육 인프라는 같을 수가 없다. 이미 출발점부터 불평등은 시작되었다. 대입 입시뿐만 아니라 숱하게 일어나는 고등학교에서의 내신 경쟁, 초등학생들의 특목중, 중학생들의 특목고 입시 경쟁 문제는 또 어떻게 풀어낼 것인가?

2023년 6월 26일 자 부산일보에서 송지연 기자는 '망국적인 사교육, 지역균형발전이 답'이라는 제목의 기사를 썼다. 사교육과의 전쟁은 근본적으로 지역의 우수한 대학에 지원하는 문제와 지역균형발전 전략이 연계되어야 한다는 것이다. 송 기자의 주장처럼, 특정 대학 출신과 특정 학과만이 출세의 지름길이라는 편견에서 벗어나 국민의 생활과 노후를 보장하는 점진적인 정책과 대책만이 정부가 그토록 원하는 '사교육 카르텔'의 고리를 끊을 수 있다고 생각한다.

요즘 국민들은 불안하다. 아직도 해결되지 않고 있는 이태원 문제, 언제 방류될지 모르는 후쿠시마 오염수, 갑자기 밀어닥친 사교육 카르텔과 입시 문제 등 정부가 벌이고 있는 수많은 일 중 어느 장단에 손과 발을 맞추어 걸어가야 할지 너무도 혼란스럽다. 매일 입시 막바지 공부를 하며 힘들어하는 고3 아이를 바라보는 엄마로서 한 가지만 부탁해본다. 제발 모든 문제를 '즉흥적'으로 벌이지 말기를, '백년지대계'인 교육만큼은 '一刀兩斷(칼을 한 번 휘둘러 단번에 둘로 나누듯이, 일이나 행동의 결정을 선뜻 분명하게 내리는 모습)'으로 '성급한 칼춤'을 추지 말고 차분히 해결했으면 좋겠다.

출렁이는 수능호, 요동치는 고3들

올해 고3 엄마가 되고 보니, 선배 엄마들에게 정보 얻기가 정말 어렵다. 무언가를 물어보면 "글쎄, 우리 때와는 달라서."라고 말을 하거나 아니면 "그냥 아이가 알아서 할 거야."라는 대답이 최선이라는 듯 말한다. 우리나라 입시제도가 매번 요동치는 탓인지, 아니면 이미 입시생의 수험 기간을 거친 선배 맘들이 그 시절을 다시 떠올리고 싶지 않은 탓인지 이유를 도무지 알 수 없다. 그럴 때마다 종종 화장실 가는 상황이 떠오른다. 화장실이 급할 때는 그렇게 절실하고 다급하다가도 막상 볼일을 마치면 절실하고 다급한 마음은 온데간데없이 사라지고 만다. 이미 자녀가 고3 수험을 치른 선배 엄마들도 이런 맘일까? 다급했던 시간이 지나버린 사람들에겐 '화장실 직전의 고통'은 무조건 망각하고 싶은 기억일 것이다.

 지난 주말에 대학원서 접수 사이트인 '진학사'와 '유웨이'에 각각 원서 접수 캐시를 충전했다. 원서 1개당 10만 원, 수시 원서를 총 6개 쓸 수 있다고 치면 적어도 60만 원의 돈이 필요하다. 물론 환불받는 돈이지만, 다달이 나가는 학원비가 아닌 원서 비용으로 60만 원을 넣고 보니, 입시는 곧 '돈과의 싸움'이라는 마음이 절로 든다. 이미 자녀가 고3을 거친 선배 맘들도 이런 과정을 거치며 아이들을 대학에 보냈다. 모든 게 낯선 올해 고3 엄마인 나는 수시 원서 접수, 수능 접수 하나 하는 것만으로도 입에 침이 바싹바싹 마른다.

 초조한 엄마들 못지않게 고3 아이들 역시 자기만의 싸움을 진행 중이다. 올해 수능의 표준 예시라고 할 수 있는 9월 모의고사가 끝난 다음 날, 큰 애 학교 단톡방에서 한바탕 소동이 벌어졌다. 한 아이가 수능이 70일도 안 남은 상황에서 갑자기 과학탐구 생명과학 1에서 생명과학 2로 바꾸겠다고 난데없는 문자 한 통을 보냈다는 것이다. 그 엄마는 "대체 이게 무슨 일이냐"며 엄마들의 단톡방에 글을 올렸다. 같은 문자를 받은 엄마들도 학교로, 단톡방의 엄마들에게 묻고 진상조사를 하느라 카톡 창이 한동안 시끌벅적했다.

2023년 9월 모의고사는 '높으신 분'의 의도대로 기존의 '킬러 문항'이 없어지고 '준 킬러 문항'으로 예쁘게 잘 제출된 시험이라고 평가받는다. 국어와 영어는 기존보다 조금 어렵게, 수학과 과학탐구는 쉽게 제출되면서 올해만은 이과생들의 문과 침공이 어렵지 않을까 예측되었다. 그런 상황에서 생명과학 1 과목의 1등급 컷이 올라가 한 문제만 틀려도 바로 2등급으로 내려가는 기이한 현상이 벌어졌다. 이른바 생명과학 1 과목의 90점대 점수를 받아도 2등급인데 반해, 생명과학 2과목의 70점대 점수를 받으면 1등급이 되는 일이 생긴 것이다. 9월 모의고사를 보고 난 후 초조해진 몇몇 고3 재학생들은 겨우 수능이 70일도 안 남은 시점에서 기존 선택 과목을 바꾸는 요행을 꿈꿨고, 엄마들에게 그런 문자를 보낸 셈이다. 결국, 고3 아이들의 불안으로 빚어진 이 사태는 담임 선생님의 호된 질책으로 마무리되었다. 고집을 꺾지 않고 끝내 선택 과목을 바꾼 친구들도 있었지만 말이다.

올해의 입시 결과는 도무지 가늠하기가 어렵다. 6월에 갑작스럽게 제시된 수능 난이도 변화를 비롯해 9월 모의고사를 보고 난 후, 재수생과 N 수생들의 수능 원서 접수가 급격하게 늘었다. 학령 인구는 점점 줄고 있다는데, 가고자 하는 대학의 문은 점점 좁아지기만 한다. 큰 애 학교의 '선택 과목 변경' 사건은 그 학교에서 전교 1등이자 '공부의 신'이라고 불리는 아이가 원하는 대학의 의대로 진학하지 못한다는 예측이 나오면서 빚어진 일이었다. 그 친구가 이번 9월 모의고사에서 틀린 개수는 단 2개, 하지만 과학탐구 1과목에서 1개를 틀려 2등급을 받는 바람에 원하는 대학의 의대에 진학하지 못한다는 결론이 났다. 참 신기한 일이다. 다 맞지 않으면 과목에서 1등급을 받지 못하는 현실이라니 말이다. 몇 번의 수능 경험과 몇 년 동안 수능만을 공부해 온 N 수생들이 이번 수능 전쟁에 합세한다면 어쩌면 이런 일이 비일비재하게 될지도 모르겠다.

오늘부터 수시 원서 접수를 시작으로 대입 레이스의 첫 막이 올랐다. 수험생들은 치열한 눈치작전을 벌이며 가고 싶은 대학을 가늠하고 있다. 입시 한 번으로

아이들의 모든 인생 기로가 결정되는 것은 아니지만,
마지막의 '카타르시스'를 위해 최선을 다할 뿐이다.
우주의 모든 기운을 다 모아서 좋은 결과가 있기를.

수험생의 번 아웃

'번 아웃'은 'Burnout Syndrome', 한자어로 '소진(燒盡)'으로 회사 업무나 개인적인 일을 처리하는 과정에서 극심한 육체적, 정신적 스트레스와 피로를 느끼고 일에 대한 열정, 목적, 성취감을 잃는 증상이다. 내 경험상 '번 아웃'은 해야 할 일은 많은데 결과물은 형편없고 '나를 제외한 사람들이 모든 일을 잘하고 있다'라고 느낄 때 종종 생기는 것 같다. 본인의 의지와는 전혀 상관이 없다. 이른바 마음의 감기라고나 할까? 몸과 마음의 상태에 따라 심하게, 혹은 약하게 지나가는 것이다.

수능이 3개월 남은 시점에서 큰애는 갑작스레 한 달에 2번 집으로 돌아오는 일정으로 바꾸었다. 아들의 학교 기숙사는 집에 오는 스케줄을 매주에 1번, 혹은 한 달에 2번 중에서 선택할 수 있었다. 그동안 큰애는 학교에 오래 머무는 다른 친구들과 달리 '집에서 공부해도 충분하다'라며 매주 꼬박꼬박 집으로 돌아와 학교에서 쌓였던 스트레스를 풀곤 했다. 그런데 기존의 생활방식을 바꾼 것이다.

스케줄이 바뀐 첫 주, 아들의 학교에 들러 교복을 비롯한 빨랫감을 가져다주고 온 남편이 걱정스러운 표정으로 말했다. 큰애의 상태가 여느 때와 다르게 기운이 없고 의욕이 상실된 것 같다고 했다. 이른바 뒤늦게 찾아온 성장통처럼 말이다. '번 아웃'이었다. 아무리 노력해도 제자리인 성적, 곧 있을 9월 모의고사에 대한 스트레스 등등, 큰 애에게 '번 아웃'이 갑자기 온 원인을 생각하느라 머리가 복잡해졌다.

그런 아들의 증상이 희미하게나마 보인 것은 담임선생님과 수시 상담 이후부터였다. 수시원서에서 몇 장 안 되는 '학교장 추천'이나 '교과추천'을 할 때의 원칙은 좀 더 가능성 있는 아이에게 투자하는 것이다. 또한, 같은 반의 학생들이 동일한 대학과 학과를 중복해서 쓰지 않는 암묵적인 규칙이 있다. 안타깝게도 반에는 큰애와 같은 학교, 같은 학과를 지망하는 학생이 있었다. 그것도 아들보다 유리한 조건으로 수

시원서를 쓸 수 있는 친구였다. 어쩌면 선의의 경쟁자라고 할 수 있는 인물이다. 하지만, 아들은 수시원서의 제한된 조건으로 원하는 대학과 학과를 양보해야 하는 입장이 되다보니 속상한 모양이었다. 물론 수시원서는 소신껏 쓸 수 있었다. 다만 합격할 가능성이 매우 낮았다. 그래서 아들은 일찌감치 좌절감을 느끼고 자기만의 '회피'를 선택한 듯싶었다.

대학입시를 위해 쓸 수 있는 수시 원서 카드 6장, 말로만 들으면 수능 성적 한 번으로 결정되는 정시보다 훨씬 학생들에게 '공평'하고 '선택의 폭'이 넓은 제도처럼 보인다. 하지만 그 속사정을 들여다보면 생각보다 쓸 수 있는 원서 카드가 많지 않다. 올해 처음으로 도입된 '자기소개서 폐지'와 '각종 수상기록' 삭제로 엄마들의 입김과 치맛바람은 줄었지만, 여전히 수시 원서는 '학교에서 가능성 있는 학생들의 잔치'였다. 성적순으로, 가능성 위주로 순위가 뒤로 밀리다 보면 어쩔 수 없이 '수능 대박'이라는 신기루를 좇을 수밖에 없다.

고1, 2까지 열심히 놀던 아이들도 고3이 되면 눈을 번득이며 공부하기 시작한다. 올 1년으로 자신의 인생이 어떻게 바뀔지 아는 탓이다. 주변의 모든 관심과 수능에 대한 압박, 불확실한 미래로 마음의 병이 심해지는 시기이기도 하다. 그래서 고3 아이들치고 한 번쯤 안 아픈 아이들이 없다. 고3이 되기 전까지 거의 병치레가 없었던 큰 애도 올해 들어 몇 번이고 병원 신세를 졌다. 목표가 뚜렷하고 완벽주의자형 아이들이 흔히 겪는 마음의 감기다.

초보 고3 엄마로서 지금까지의 일들을 돌이켜 보면, 이 시간이 생각보다 견딜 만했다. 특히나 큰 애처럼 자기의 꿈과 가고 싶은 대학, 학과가 확고하다면 생각 보다 챙겨야 할 일이 많지 않다. 어차피 여러 가지 다른 대학입시 정보를 공부하고 알려줘도 아들의 선택은 'No'일 테니까 말이다. 그래서 더 어렵다. 한 가지 목표로만 매진하던 녀석이 수시 원서를 쓰기도 전에 본인의 의지와는 다른, 주변의 상황으로 좌절을 맞는다면 어떻게 위로해야 할까? '원래 인생은 좌절의 연속이야'라며 인생의 쓴맛을 알려줘야 하나, 아니면 '다음에 더 좋은 기회가 있을 거야'라며 다독거려야 할까? 오늘로 수능까지 D-72일째, 번 아웃이 된 듯한 아들을 어떻게 위로해야 할지 고민이다.

2024년 더 높은 대학들로 향하는 이카루스들

올해 마감된 서울대 수시 전형 원서모집 경쟁률이 8.84대 1을 기록하며 작년보다 상승했다는 기사를 읽었다. 뉴스 속 종로학원 관계자의 말에 따르면, "자연계열 학생들이 수시에 소신 지원 현상이 뚜렷하다"라면서 "최상위권 학생의 의대 쏠림현상은 금년도에도 지속될 것으로 예상하고, 서울대 등 최상위권 대학 일반 자연계열 학과 합격 기대심리가 높아진 것"이라고 분석했다. 또한 "재수생들 역시 수시 지원에 가세한 것으로 보인다."라면서 "특히 재수생 중 상위권 대학에 합격한 반수생 위주로 서울대 등 상위권대에 수시 지원한 것으로 추정된다."라고 밝혔다. (출처: 뉴시스, 2023.9.13, 권지원 기자)

올해 고3 수험생(2005년생들)뿐만 아니라 재수생, N 수생 그리고 멀쩡하게 학교에 다니던 대학생들까지 더 높은 곳을 향해 이카루스의 날갯짓을 시작했다. 이런 현상은 예전부터 예견되었던 사실이다. 올해 처음으로 도입된 자기소개서 폐지, 수능 문제에서 킬러 문항의 삭제, 역대 가장 적은 고3 학력 인구수 등이 원인이다. 더욱이 최근에 실시한 9월 모의고사의 결과에서 많은 재수, N 수생, 대학생들은 희망을 엿봤고, '혹시나'하는 마음으로 다시금 수능에 지원했다. 현 고3 학부모로서는 '왜 하필 올해 이런 일이'라며 분통 터질 일이지만, '만일 내가 그들의 입장'이었더라도 이런 황금 같은 기회를 놓치기가 쉽지 않았을 것 같다.

그토록 많은 시간이 흘러도 하늘 아래 'SKY'로 향하는 사람들의 욕망은 도무지 사그라지지 않는다. 물론 최근 들어 '메디컬' 관련 학과로 이른바 '똘똘한 학생들'의 쏠림 현상이 두드러진다고 하지만, 그런 남다른 뜻을 품고 있는 아이들을 제외하고, 'SKY'는 여전히 넘볼 수 없는 벽이다.

몇 년 전, JTBC 드라마 <스카이 캐슬>은 대한민국

상위 0.1% 사모님들의 입시 전쟁과 입시 코디네이터를 풍자하며 큰 인기를 끌었다. 많은 엄마들은 비정한 입시 현실에 눈살을 찌푸리면서도 단 한 가지 사실만은 부정하지 않았다. 그녀들이 그토록 원했던 '아이들의 S대 의대 진학', 왠지 그곳이라면 '그럴 만도 하다'고 여겼다. 오히려 같은 고3 수험생 엄마인데도 천하태평하게 아이에게 모든 준비를 맡겨 놓은 채 방임하고 있는 우주 엄마의 모습이 기이하게 보일 정도로 말이다. 드라마 속 그런 인물을 본 대부분의 고등학생 엄마들은 어쩌면 이런 푸념을 했을지도 모르겠다. "니 아들이 알아서 공부를 잘하니까 그렇지. 잘났네, 정말"이라고 말이다.

'행복은 성적순이 아니다.'라는 명제는 대한민국에서 공교육을 받았던 학생이라면 누구나 떠올려 봤을 문장이다. 정말 아닐까? 아쉽게도 화려한 '대학 간판'이 대한민국 사회에서 안정된 삶의 조건이라는 말은 부인할 수 없는 사실이다. 사실, 드라마 <스카이 캐슬> 방영 당시, 주변 엄마들 사이에서는 이런 우스갯소리들이 떠돌았다. 정말 엄청나게 '돈' 많고, 넘겨받을 '배경'이 있는 진짜 부유층들은 '스카이 캐슬'의 엄마들처럼 성적에 연연하지 않는다고 말이다. 어느 곳에도 기댈 곳 없이 '불안한' 사람들만이 이렇게 대한민국만의 특별한 'SKY'를 향한 욕망을 꿈꾼다고 했다.

<선량한 차별주의자>의 저자 김지혜는 이런 현상이 사회 속에 확고하게 자리 잡고 있는 것은 고정관념 때문에 생긴다고 설명한다. 내 생각에도 명문대학을 나온 사람들을 보면 그 대학 출신이라는 사실만으로도 능력 있는 사람이라는 선입견이 생긴다. 또한, 명문대학의 학생들이 다른 대학 출신보다 더 다양한 기회를 얻는 것도 부인할 수 없는 사실이다. 이러한 편견은 우리 사회에 만연해 있다. 대한민국은 '행복은 성적순'이라는 원칙이 여전히 진행 중인 사회이다.

<그리스로마 신화>에서 밀랍 날개를 단 이카루스는 높은 하늘 위의 태양을 향해 날아오르다 바다 위로 떨어졌다. 이야기에서는 그의 추락이 아버지 다이달로스의 경고를 새겨듣지 않은 탓이라 전하고 있다. 하지만 돌이켜 생각하면 애초에 천재 발명가였던 아버지가 태양열에도 녹지 않을 만큼 튼튼한 날개를 제공했다면, 그런 비극은 벌어지지 않았을 것이다. 만일, 대한민국 사회가 고정관념 따위에는 흔들리지 않

게 '누구나 잘살고 행복한 곳'이었다면 올해 입시에서 이처럼 기이한 현상은 벌어지지 않았을 것이다. 아쉽게도 그런 유토피아는 이 사회에서 존재하지 않는 '신기루'이다.

올해도 수많은 이카루스들이 더 높은 대학들을 향해 힘찬 날갯짓을 시작했다. 그들의 과열된 열기 속에서 우리 아들은 어떤 대학에 정착할 수 있을까? 다른 이카루스들의 날개에 치여 부디 큰 애가 피해를 보는 일이 없었으면 좋겠다. 2023년의 대입, 혼란의 연속이다.

미래를 향해 날아가는 불나방들에게

비비안 리와 클라크 게이블이 주연을 맡은 영화로도 유명한 마가렛 미첼의 <바람과 함께 사라지다>는 남북전쟁을 배경으로 여주인공 스칼렛의 인생 역정을 그린 장편 소설이다. 예쁘고 도도한 남부 부유층 소녀가 남북전쟁을 겪으며 타라 농장을 지키기 위해 강인한 여성으로 변모해가는 모습은 무척 인상적이었다. 이 소설이 이토록 많은 독자에게 회자 되는 이유는 사람들의 관점에 따라 다양하겠지만, 뭐니 뭐니 해도 마지막 결말 부분이 아닐까 싶다. 불타버린 애틀란타, 폐허가 된 타라 농장과 떠나버린 남편을 바라보며 스칼렛은 그동안 외면했던 진실한 사랑을 깨닫는다. 하지만 이미 모든 것이 끝난 상황, 그 순간 그녀는 말한다. "내일은 내일의 태양이 떠오른다.

(After all, tomorrow is another day)"

영화를 비롯한 대부분의 문학작품에서 '해피엔딩'과 정확한 결말에 열광하는 독자들 중 한 사람이다. 그래서인지 이런 소설류의 열린 결말을 보는 것은 무척 곤욕이었다. 뭐든 확실하게 결정되는 것이 좋았고, 이왕이면 등장인물이 자기 인생을 행복하게 꾸려간다는 명확한 결론이 좋았다. 안 그래도 미완성인 현실의 삶 속에서 정확한 답을 찾아 헤매느라 충분히 머리가 아프고 골치 아픈 시간이었다. 작가의 창작물에서만큼은 '이도 저도 아닌' 결말 따위는 절대로 보고 싶지 않았다. 문학적인 가치? 깊은 여운? 다 필요 없었다. 독자들의 상상에 맞추어 주인공들의 미래를 예측하라니, 작가로서 너무도 무책임한 행동이 아닌가. 하지만, 조금씩 나이를 먹고 보니 요즘 들어서야 '열린 결말'이 꼭 나쁜 것은 아니라는 생각이 들기 시작했다. "인생에 정답이 어디 있어?"라는 말처럼 정말 사람의 인생에 결정된 답은 없었다.

부모님의 곁을 떠나 나만의 인생을 찾으며 살아온 지 몇십 년이 흘렀다. 어린 시절 부모님의 안전한 보호를 받을 때는 들었던 지시와 충고가 답인 줄 알았지만, 지금은 '그게 과연 나에게 정답일까?'라는 의문을 가지게 되었다. 부모님이 강조했던 인생의 고속도로를 빙자한 이야기들은 실제로는 내가 행복한 삶을 살 수 있는 탄탄대로가 아니었다. 오히려 미래에 대한 두려움으로 포기했던 비포장도로가 꿈과 즐거움을 누릴 수 있는 지름길이었다. 부모님이 원하는 삶과 내가 원하는 삶은 처음부터 달랐고 앞으로 맞이할 미래의 모습 역시 부모님 세대와는 다른 시간일 것이다. 그런 사실을 깨달은 이후부터 누군가에게 내 생각을 강요하는 것이 두려워졌다.

며칠 전, 큰 애를 만나러 학교에 잠깐 들렀을 때, 아이에게 물었다.

"친구들 요즘도 공부 열심히 하지?"

"열심히 공부하는 친구들도 있고, 포기한 친구들도 많아요."

2023년도 수능일이 얼마 안 남은 시점, 고3 아이들은 저마다의 방식으로 마음속에 지닌 불안감을 표현하고 있다. 아직 수능일이 50일 넘게 남은 시간, 무엇이 아이들의 마음속에 '포기'와 '희망'의 경계를 나눴을까? 단순히 그동안 지켜온 성적 때문일까? 아니면 지금 더 노력한들 바뀌지 않을 거라는 두려움 때문일까?

수시 접수가 끝난 고3 아이들의 2학기 교실은 수능을 앞두고 극명하게 대비되는 시기이다. 일찌감치 수시 합격을 자신하고 있거나 올해 입시를 포기한 친구들은 공부에 미련이 떠난 지 오래고, 정시에 집중한 아이들은 죽자 사자 공부하느라 날마다 피폐하다. 큰애 친구 중 A 친구는 입시에 대한 스트레스로 잠깐 눈앞이 아무것도 보이지 않아 응급실에 다녀왔다. 그리고 B 친구는 혹시 본인의 입시로 부모님들이 피해를 볼까 봐 걱정이 이만저만이 아니다. 현재 그들은 '포기'와 '불안'과 '두려움', 그리고 '혹시나 하는 가능성'으로 반짝이는 하나의 빛을 향해 날아가는 불나방 같다.

아무것도 결정되지 않은 미래, 지금 최선을 다하고 있는 노력이 꼭 보상을 받을 수 있을지는 누구도 알 수 없다. 올해 입시가 끝나는 날, 못 미치는 결과에 눈물을 흘릴 수도 있고, 또 다른 기회를 잡기 위해 도전할 수도 있다. 하지만 지금까지 살아온 삶을 돌이켜 볼 때, 모든 과정이 끝났다고 해서 삶이 멈추는 것이 아니었다. 입시 결과가 마음에 안 들어도, 때로는 원하는 길을 가지 못해도 사람의 인생은 계속된다. 스칼렛 오하라가 깜깜한 절망 속에서도 "내일은 내일의 태양이 떠오른다"라고 말한 것처럼, 사람의 삶은 절대로 '닫힌 결말'이 아니다. 수만 가지 가능성 속에서 자기만의 길을 찾아가는 것, 그래서 사람의 인생은 열린 결말이 될 수밖에 없다. 미래의 불나방들이 끝이 아니라 앞으로의 수만 가지 가능성을 향해 날아갈 수 있기를 빌어본다.

“마지막의 ‘카타르시스’를 위해 최선을 다할 뿐이다. 우주의 모든 기운을 다 모아서 좋은 결과가 있기를”

-강민주-

“아이들의 성적이 잘 나오지 않아도, 아이들의 결과가 내 기대에 미치지 않아도, 언제나 아이들을 먼저 바라보고 사랑할 수 있기를 마음속 깊이 기도한다.”

-강민주-

Chap.3

삼식 씨와 살게 되었습니다

김경희

전주대학에서 강의했으며 전주교육대학 학생상담 센터에서 심리치료사로 활동했다. 현재는 전주시 보건소 마음치유 센터에서 전주 시민들의 정신 건강 증진을 위해 '독서 치료'를 강의하고 있다. <남의 일기는 왜 훔쳐봐 가지고> 2020년, <맛의 위로> 2023년에 출간했다.

삼식 씨와 살게 되었습니다

남편이 울었다.

슬쩍 내민 도전장

이제부터 우리에게 필요한 건 믿음

탐정이 나타났다

그리 빳빳해서 어찌할까

식탁 혁명

제발 집이 팔리지 말았으면

글쟁이로 사는 하루 일상

남편이 울었다

여름방학이 끝나갈 무렵 그이의 퇴임식이 있었다. 무엇을 입고 가야 할까? 가족들도 참석하면 좋겠다는 학교 측의 연락을 받은 뒤 옷장을 뒤지기 시작했다. 그이의 회색 양복 색깔에 맞춰 남색 계열과 붉은 계열의 재킷을 입고 사진 찍어 가족 카톡 창에 올렸다. 아이들의 일치된 의견에 따라 그이와 함께 남색 재킷을 입고 학교로 향했다.

학교로 가는 차 안에서 그이가 말했다. "오늘이 진짜 마지막 날이네" 정들었던 일터를 떠나 드디어 마침표를 찍는 날, 함께 일했던 동료 교사들을 마지막으로 만나는 시간 그이의 마음은 어떤 마음일까? 퇴직하는 날이 하루하루 가까워지면서 이제 한 달 남았고, 일주일 남았으며 사흘, 이틀, 하루가 남았다고 출근할 날의 숫자를 세던 그이였다. 이런 그이와 동행하고 있자니 가슴 깊이 아쉬움이 날아들었다. 아니, 내가 아쉽다기보다 아쉬워하는 그이의 마음이 느껴졌다.

학교에 도착해서 우리는 본관 2층에 마련된 퇴임식장으로 가기 위해 운동장 바로 옆에 주차했다. 차에서 내려 본관을 향해 걸어가는데 운동장에서 공을 차던 남학생 예닐곱 명이 그이를 향해 달려왔다. 그이 앞에 먼저 다가선 학생이 숨을 헐떡이며 외쳤다. “선생님! 보고 싶었어요. 선생님과 다시 수업하고 싶어요.” 새로운 국어 선생님과 수업한 지 한 주가 지난 학생들의 얼굴엔 아쉬움이 가득해 보였다. 학생들의 머리를 일일이 쓰다듬으며 악수하던 그이의 눈가가 촉촉해졌다. 애틋한 마음과 마음이 서로 교차하는 순간이었다. 사람의 마음과 마음 사이에 난 길이 만나는 애절한 시간이었다.

퇴임식 시작하기 전, 교장실에서 대기하고 있는데 국어과 선생님 예닐곱 명이 들어왔다. 선생님들은 그이를 보자마자 그렁그렁해진 눈물을 말없이 닦아내며 부채 모양으로 늘어섰다. 눈시울이 붉어지는 선생님들을 보니 나도 갑자기 눈물이 핑 돌았다. 퇴임식도 시작하기 전에 이러면 안 되는데 하는 생각이 들어서 감정을 애써 누르며 그이를 바라보니 그이 또한 눈물을 훔치고 있었다.

무거운 분위기를 지워내느라 교장 선생님은 가벼운 농담을 했다. 시간이 되어 선생님들과 우리는 울음 섞인 웃음을 머금고 다 같이 퇴임식장에 들어섰다. 국민의례와 축가, 학생 대표와 교사 대표가 남편에게 드리는 글, 학교장 회고사, 퇴임사, 떠나오는 자의 인사와 보내는 자들의 박수 소리, 눈물, 아쉬운 표정, 축하의 인사말이 한데 어우러져 가슴 뭉클한 시간이 순식간에 물 흐르듯 흘러갔다. 사회자의 재치 있는 진행에 퇴임식 장에 있던 모든 사람이 울다가 웃다가 다시 울었다.

교장 선생님은 회고사에서 "이제 마지막 스승이 떠나가십니다. 권승호 선생님의 이런 모습이 앞으로 여러분의 모습이 되면 좋겠습니다."라고 하셨다. 이 말을 듣던 선생님들은 눈을 지그시 감고 고개를 끄덕였다. 참 스승으로 대우받았던 그이가 자랑스러웠고 이제는 교사로서의 삶을 접어야 한다는 현실 앞에서 아쉬운 마음이 몰려왔다. 후배 교사는 송별사를 통해 남편에게 교육자로의 삶을 배웠고, 교육은 사랑으로 기다려주는 것이라고 누차 말하던 그이의 뜻을 따라 실천하며 살아가겠노라고 했다.

송별사에 이어 다소 떨리는 듯한 목소리로 그이의 퇴임사가 이어졌다. 지나간 학교생활을 회고하던 그이는 학생들과 즐거웠던 활동들을 나열하기 시작했다. 첫 담임을 맡았을 때 텅 빈 학교에 나와 교실을 청소하고 준비해 간 수건으로 책상과 의자를 깨끗이 닦았던 일, 아이들을 인솔하고 백일장, 논술 대회에 나갔던 일, 지리산 천왕봉으로 갔던 졸업여행, 눈 오는 날 반 아이들을 데리고 무모하게 모악산 정상에 올랐던 일, 영생고에 다니는 학생이라면 누구나 3년 동안 시 두 편 이상은 외우고 졸업하게 했던 일 등등.

지난 시간을 회고하다 잠시 멈추었던 그이의 말이 다시 이어졌다. 훗날 어느 병원의 침상에서 힘없이 누워 통증에 괴로운 날이 찾아올 때, 행복했고 아름다웠고 자랑스러웠던 영생고등학교에서의 기억들이 진통제가 되어 주리라 믿는다고. 영생고등학교에서 행복했던 시간을 떠올리면 아픔과 괴로움이 사라질 수 있지 않을까 생각해 본다고. 미래에 약해질 자신의 모습을 상상하며 지나간 시간이 약이 되어 주리라 믿겠다는 그이의 바람은 보람 있었던 교단에서의 시간을 평생 간직하며 살겠다는 다짐이었다.

퇴임식 마치고 교직원들과 기념 촬영하고, 점심 식사를 마친 후 선생님들의 배웅을 받으며 집으로 돌아왔다. 후련해하면서도 아쉬움이 짙고 행복해하면서도 남겨진 자들의 애틋한 눈빛을 이내 그리워하듯 그이는 묵언 수행자처럼 집으로 오는 내내 말이 없었다. 오롯이 퇴임식의 주인공이었던 그이와 그이를 보내는 80명이 넘는 교직원들, 행사에 대표로 참석했던 학생들이 영화의 한 장면처럼 눈앞에 아른거렸다.

행사를 마치고 집으로 돌아오니 학생들과 동료 교사들 여럿에게 장문의 카톡이 날아들었다. 초임 교사로 발령받아 방황하고 있던 순간에 등대가 되어 주었다는, 선생님을 본받아 아름다운 스승이 되도록 노력하겠다는, 앞으로의 삶에도 박수를 보내겠다는 교사들. 선생님 말씀대로 학원에 다니지 않고 공부하겠다는, 선생님을 만난 것은 자신의 인생에서 행운이었다는 학생들의 문자는 그동안 높은 자리 제안을 마다하고 오직 평교사로 묵묵히 살아온 그이에게 보석 같은 열매들이었다.

이어서 이미 근사한 사회인이 된 제자들의 환송식과 선물, 문자가 줄을 이었고 어떤 기수의 제자들은 나와 그이에게 커플 등산화를 선물하며 앞으로 열심히 운동하라는 말과 함께 감사의 박수를 보냈다. 반 학생 모두 우리 집 거실에 가득 모여 내가 싸준 김밥을 먹었다던 제자들이었다. 아! 이렇게 따뜻하고 감동적인 순간이 어디 있을까? 마치 그이의 제자들이 내 제자들인 것 같아 일일이 뜨겁게 악수했다.

저녁이 되어 아들과 며느리, 딸 사위와 함께 축하 파티를 열었다. 아이들은 아빠가 살아온 교단에서의 멋진 삶에 박수를 보내며 시간 가는 줄 모른 채 이야기꽃을 피웠다. 이렇게 아름다운 날이 또 어디 있을까? 뜨거운 사랑과 열정, 봉사 정신으로 열과 성의를 다해 학생들을 가르쳤고, 후배 교사들 앞에서 나이를 내세우지 않고 언제나 솔선수범했던 그이가 우리 아이들에게 존경스러운 모습으로 비치니 뭉클했다. 멋진 내 남편에게 나도 역시 힘찬 박수를 보냈다.

슬쩍 내민 도전장

"띠딩딩 띠딩딩"

"누구세요?"

"나무 배달 왔습니다."

"저희 나무 시킨 적 없는데요."

"세수해 부부 모임에서 보냈습니다."

아침 9시가 조금 넘었는데 뱅갈 고무나무 한 그루가 집으로 들어왔다. 내 키만큼이나 커다란 나무에 매달린 분홍색 리본 위엔 '멋진 퇴임을 축하합니다, 세수해 부부 마음 담아'라는 글씨가 또렷하게 적혀있었다. 리본에 적힌 글귀를 읽던 그이가 옛날엔 퇴임하는 것이 아쉬운 일이었는데 요즘은 완전히 축하의 분위기라고 했다. 직장 동료들도 퇴직해서 어쩌냐는 반응보다 이제 자유로워졌으니 맘껏 놀면서 지내면 되니 정말 좋겠다고 하더란다. 정말 그이의 퇴직이 멋진 일이고 축하받을 일인지 어디 한번 지켜봐야겠다.

오늘은 그이가 몸담고 지내오던 직장을 퇴임하고 난지 열흘째 되는 날이다. 이제 그이는 아침 일찍 출근하지 않아도 된다. 그러니까 이제부터 나하고 그이는 삼시 세끼를 함께 먹어야 하는 삼식 동무가 된 것이다. 남편의 퇴직을 미리 맞이했던 인생의 선배들이 그랬다.

"아휴! 이제 겪어 봐. 불편한 점이 많을 거야."

"남편이랑 정말 잘 맞는다고 생각했는데 온종일 붙어 지내다 보니 글쎄 하나도 맞는 것이 없더라고."

"이제 자주 싸울 거야."

지인들의 말을 들으며 나는 생각했다. 정말 불편할까? 무엇이 그렇게 불편할까? 오히려 그이가 출근하지 않으니 아침 시간을 여유롭게 시작할 수 있지 않을까 생각했다. 또 결혼생활 하면서 서로 의견이 대립 될 때 치열하게 다투기도 했고 서로의 속마음을 터놓고 대화를 자주 나누었으니 이젠 싸울 일이 그다지 많지 않을 것 같았다. 하지만 인생 선배들의 경험이니 무시할 일은 아니라 생각했다.

오늘도 어제와 다를 바 없는 아침 시간을 보냈다. 나는 부엌에서 찜기에 채소를 찌고, 달걀을 삶고, 당근과 토마토를 믹서에 갈았다. 나보다 한 시간이나 먼저 일어난 그이는 서재에서 책을 읽고 있었다. 내가 식사하자고 부르니 그제야 그이가 식탁으로 나왔다. 책 읽는 선비의 모습을 늘 보고 지낸 터라 이상할 리 없었지만, 오늘따라 그이가 무심하다는 생각이 들었다.

그이가 출근하던 날 아침과 요즘 아침의 다른 점은 식사하는 시간이 늘어났다는 점이다. 시계를 쳐다보며 출근 시간에 쫓겨 바쁘게 음식을 먹던 그이가 요즘은 식사 시간에 시계를 쳐다보지 않는다. 출근할 땐 내가 그이의 삶은 달걀을 까주었는데 요즘은 그이가 내 달걀을 까준다. 또, 음식을 느긋하게 먹으면서 이런저런 대화를 나눈다. 여유로움이 우리 집 식탁에 파랑새처럼 날아든 것이다. 여유로운 방석에 앉은 나는 그이에게 대뜸 제안했다.

“여보야! 우리 이제 내일부터 아침 식사 준비 같이 할까?”

전혀 예상하지 못한 일이라는 표정으로 그이가 대답

했다.

"글쎄."

처음부터 흔쾌한 대답을 기대하지는 않았다. '그래 뭐 오늘은 삼식이가 된 지 열흘밖에 지나지 않았으니까.' 하지만 그이 입에서 계속 '글쎄'라는 대답이 나온다면 그땐 어떻게 해야 할지 묘책이 필요할 것 같다.

이제부터 우리에게 필요한 건 믿음

"내일부터 우리 아침 같이 차릴까?"라는 나의 도발적인 제안에 그이가 반응하기 시작했다. 아침을 같이 차리기 위해 움직인 것은 아니지만 식사 후에 자발적으로 설거지를 하기 위해 싱크대로 향했다. '웬일이지?'라는 생각에 놀라움을 금할 수 없었지만, 겉으론 태연하게 그이의 행동을 자연스럽게 받아들이는 척했다. 그리고 "아이 좋아"라고 기분 좋은 목소리로 그이에게 너스레를 떨었다.

그이의 변화는 하루아침에 이루어진 것이 아니다. 그이가 퇴직을 앞둔 3년 전부터 가사노동을 함께 하자고 제안했었다. 나의 제안은 여권신장이나 여성해방운동 차원에서가 아니라 친구같이 지내야 하는 노년기를 맞이하기 위한 관문 같은 것이었다. 그럴 때마다 그이와 나는 언쟁에 휘말렸고 남편이 내린 결론은 늘 잘하는 사람이 하자는 반응이었다.

우리 집에서 가사노동을 잘하는 사람은 누구일까? 그것은 당연히 내가 아닌가. 하지만 나라고 태어날 때부터 가사노동을 잘하는 사람은 아니었다. 단지 그이보다 내가 그동안 가사노동 시간이 많았기 때문에 조금 더 숙련된 것뿐이었다. 또 암묵적으로 가사노동은 남편보다 아내의 몫이라는 사회적 통념 때문이기도 했다.

그이는 유교적인 전통을 중요하게 여기는 집안에서 태어났다. 남자가 부엌에 들어오는 것을 부자연스럽게 생각하는 사람이었다. 어려서부터 남자란 자고로 부엌에 들어가면 안 된다는 금기사항을 아주 잘 지키며 자랐다. 요즘 시대야 부엌이라는 경계가 모호해진 주거 형태에 살고 있으니 남자라고 해서 부엌에 들어오지 않을 수 없는 일이지만 말이다.

4대째 내려오는 기독교 집안에서 자란 나는 그이와 다르게 여자는 이래야 하고 저래야 한다는 식의 유교적인 전통의 테두리가 전혀 없었다. 친정아버지는 엄마를 위해 마늘 까는 일은 물론이고 빨래도 잘 개켜

주셨다. 출근하시기 전엔 나와 언니, 동생의 긴 머리도 단정하게 묶어주셨다. 아빠의 이런 모습을 보고 자란 나는 당연히 남자와 여자가 해야 할 일의 경계가 모호한 사람이었다.

싱크대 설거지통 앞에 서서 빈 그릇을 닦고 있는 그이의 뒷모습이 무척 어색해 보였다. 순전히 내가 보는 관점이었을 테지만 그이가 설거지하는 모습이 익숙지 않은 탓이기도 했다. 아침에 먹은 그릇이라고 해야 과일 접시 하나에 야채찜 담은 그릇 하나, 당근 수프 담아 먹은 그릇 두 개, 요구르트 그릇 두 개, 수저와 포크 두 개씩이 다였다. 그이는 오른손에 든 수세미로 접시를 서너 번 문지르더니 물로 헹구었다. 다음엔 올리브유가 묻어 있는 그릇을 행주로 서너 번 문질러 싱크대 안에 놓더니 그릇을 다시 들고 손으로 문지르기 시작했다. 아마도 미끈거리는 기름의 촉감을 없애려는 것 같았다.

싱크대 주변에서 도마와 주방기구를 정리하던 나는 그이의 어깨너머를 힐끔거렸다. 그이는 계속 손으로 그릇을 문지르고 있었다. 더 지켜보고만 있을 수 없던 내가 명령하듯 낮고 단호한 목소리로 소리쳤다.

"여보야! 기름기 묻은 그릇은 주방세제를 묻혀서 닦아야죠!"

나름대로 열심히 하고 있는데 훈수를 두는 내가 못마땅하다는 말투로 남편이 내 말을 받아쳤다.

"이 정도는 그냥 물로만 해도 되지 않아?"

내가 목소리를 높여 말했다.

"아니, 여보! 기름기는 물로만 닦이지 않으니 세제를 써야 한다니까?"

그이의 목소리도 높아졌다.

"이 사람아! 환경을 생각해서라도 세제는 되도록 쓰지 말아야지."

그이는 미끈거리는 기름기를 닦아내느라 손으로 계속 접시를 문질러댔다. 답답한 마음이 가라앉지 않은 내가 기름기 묻은 그릇을 이리 내라며 뺏으려 했다. 그제야 그이는 수세미에 주방세제를 묻혀 그릇을 닦더니 수돗물에 뽀드득 소리 나게 헹구었다. 잘 닦인 그릇을 건조대 위에 올려놓던 그이가 나지막한 소리로 말했다.

"이제부터 우리에겐 믿음이 필요해."

나는 속으로 생각했다. '그래 잘할 때까지 기회를 주

며 믿어줘야겠지. 그럴 날이 제발 빨리 오면 좋겠다' 라고. 우리나라 속담에 "막내딸 대신 시집간다."라는 말이 있다. 막내딸의 행동이 미더워서 딸 대신 무엇이고 해주려는 엄마의 마음을 꼬집은 말일 것이다. 지금은 나도 막내딸 대신 시집가고 싶은 마음이나 그이가 요청한 대로 나에게 필요한 건 그이에 대한 믿음과 기다림인 것 같다.

탐정이 나타났다

딸 부부가 방학식을 마치고 집에 왔다. 교사 부부인 딸네는 남편과 같은 직업군이라 만나면 서로 동질감을 느낀다. 셋이서 직장에서의 애로사항과 개선점을 이야기할 때면 딸과 아빠, 장인과 사위의 만남이라기보다 선배 교사와 후배 교사가 모인 자리 같기도 하다.

아빠의 퇴직이 의미 있는 관문이라 생각했던 딸과 사위는 남편에게 "그동안 정말 애쓰셨어요."라며 존경과 위로의 토닥임을 흡족하게 퍼부었다. 내가 "그동안 수고했어요."라고 하는 말과는 질적으로나 양적으로 엄청난 차이가 있어 보였다.

우리 부부는 딸 부부의 애정 어린 에스코트를 받으며 맛집에 가서 냉면과 떡갈비를 먹었다. 식사를 마치고 자연스럽게 덕진공원으로 발걸음을 옮겼다. 공원의 연못에는 연꽃이 앞다투어 봉긋이 솟아오르고 있었다. 해가 서서히 지기 시작하면서 하늘은 붉은 보랏빛을 띠며 꿈과 현실의 경계를 무너뜨릴 것처럼 몽환적이었다. 여름의 해지는 분위기는 로맨틱한 감성을 자극한다. 마치 머나먼 곳으로 여행을 떠나온 듯한 착각이 일 정도로.

삼삼오오 짝을 지어 공원을 찾은 사람들 얼굴에 평온함과 여유로움이 가득했다. 연지교를 따라 한옥으로 지어진 연화정 안으로 들어가니 연못 위에 있는 연화정이 마치 용왕님의 도서관 같았다. 자연과 조화를 이루고 있는 한옥의 고즈넉함 속에 잠시 머물다가 우리 넷은 유유자적한 기운을 가득 받고 집으로 돌아왔다.

남편과 사위는 거실 의자에 앉았고 나와 딸은 과일을 챙기느라 주방에 들어섰다. 내가 냉장고에서 복숭아와 참외를 꺼내서 씻자 딸은 접시와 포크를 준비했다. 접시를 꺼내 들던 딸이 나를 쳐다보며 물었다.

“엄마! 요즘 바빠요?”

“아니? 왜?”

“그릇이 정리되어 있지 않아 주방이 어수선합니다.”

“푸흡~”

나는 웃음을 참으며 거실 쪽을 힐끔 쳐다본 뒤 딸내미 귀에 대고 소곤거렸다.

“쉿! 아빠가 요즘 설거지를 하잖아. 근데 정리하는 일은 아직이야.”

“아이고!”

웃음을 참느라 입을 틀어막던 딸이 참외를 깎고 있는 나에게 탐정이나 된 것처럼 실눈을 뜨며 말했다.

“엄마! 혹시 이거 아빠의 전략 아닐까?”

”무슨 전략?“

“이게 말이야. 사람의 행동에는 숨은 의도가 있거든.”

“숨은 의도?”

“응. 숨은 의도. 그러니까 아빠가 설거지를 엄마 마음에 쏙 들지 않게 하는 데는 일부러 그러는 것이 아니겠냐고. 봐라! 이렇게 맘에 안 드는데도 나한테 계속 설거지를 맡길래? 하는 의도 말이야.”

“에이~ 설마.”

“아니, 생각해 봐. 어떻게 접시와 공기와 컵을 뒤죽

박죽 섞어놓을 수가 있어. 군대도 진즉 다녀온 사람이. 이건 다분히 의도가 있는 거라고."

"그러게. 네 말을 듣고 보니 진짜 그런 것 같기도 하다."

"그치. 이건 아빠가 고도의 전략을 펴고 있는 거야."

"근데 아빠가 그렇게 고단수는 아니잖아. 설령 그렇다 해도 엄마는 그냥 계속 모른 척할 거야. 너는 누가 최후의 승자가 되는지 지켜보기나 하셔."

"내가 보기엔 아빠 승이야."

"왜?"

"엄마처럼 정리 정돈을 잘하는 사람들은 각이 안 잡혀 있으면 견디기가 힘들거든. 그러니까 이런 꼴을 계속 참아내진 못할 거라는 말이야!"

"하……"

주방에서 나눈 딸과의 대화는 비밀로 해두었다. 과일을 먹고 한참이나 도란거리던 딸 부부가 돌아가고 과일 접시와 포크를 씻으려고 주방으로 들어갔다. 일부러 보려고 한 것은 아닌데 남편이 그릇 건조대에 서털구털 널어놓은 그릇들이 눈에 띄었다.

답답해도 당분간은 눈 딱 감고 못 본 척하려고 했는

데 두 손이 무의식적으로 접시로 향했다. 남편이 씻어놓은 접시를 건조대 위에 나란히 세웠다. 밥공기는 밥공기끼리 국대접도 끼리끼리, 컵은 컵 받침대 위에 가지런히 줄 맞춰 앉혔다. 그제야 속이 개운했다. '내가 보기엔 아빠 승!'이라고 하던 딸의 말이 귓전에 맴돌았다.

그리 뻣뻣해서 어찌할까

남편이 퇴직하고 나니 아침에 일어나 허겁지겁 식사를 먼저 차리지 않는다. 현관에서 포옹하고 집을 나서느라 꾸물거리는 그이에게 어서 가라고 재촉하지도 않는다. 대신 아침에 그이와 함께하는 일이 생겼다. 그것은 바로 일어나자마자 스트레칭으로 몸을 푸는 일이다. 제안을 먼저 했다는 이유로 얼떨결에 내가 그이의 운동 코치가 되었다.

그이와 함께하는 아침 운동은 거실에 매트 까는 일로부터 시작된다. 그다음엔 헐렁한 바지와 티셔츠 차림으로 적당한 거리를 두고 마주 보고 선다. 마주 보고 서 있는 순간이 어색해서 그러는 것이겠지만, 그이는 내 앞으로 바싹 다가오며 장난을 친다. 그럴 때마다 나는 여지 없이 거리감을 유지하기 위해 팔을 쭉 뻗으며 그이의 가슴을 밀어낸다.

운동할 때도 거리감이 있어야 몸을 움직일 때 서로에게 방해되지 않는다. 함께하는 순간에도 서로 거리를 두고 하늘의 바람이 둘 사이에서 춤추게 하라는, 기타의 줄들이 하나의 음악에 떨릴지라도 서로 적당한 간격을 두고 떨어져 있으라는 칼릴 지브란의 조언을 기억하며 그이에게 낮은 소리로 말했다.

"저만큼 떨어져요. 그리고 이제부터 날 따라 해 봐요."

장난기를 포켓에 슬며시 집어넣던 그이 앞에서 다리를 어깨너비로 벌린 다음 두 팔과 두 다리를 자유롭게 흔들었다. 그이가 나를 따라서 몸을 흔들었다. 부자연스러우면서도 박자감 없이 뻣뻣한 그이의 몸놀림을 보면서 속으로 웃음이 나왔다. 하지만 "괜찮아. 처음이라 그래."라고 말하며 안심시키고 목 운동으로 넘어갔다.

하나둘 셋 넷, 둘둘 셋 넷 제법 코치다운 구령 소리를 내며 앞으로 고개를 떨구다 뒤로 젖히니 그걸 따라 하는 남편이 "윽"하고 짧은 신음을 했다. 신음을 못 들은 척하며 오른쪽에서 왼쪽으로 다시 왼쪽에서 오른쪽으로 천천히 고개 운동을 진행하니 따라 하던 남편이 중얼댔다. 목을 돌리니까 아프다고, 두둑 거리는 소리도 난다고, 그동안 목 운동 한번 제대로 해본 적 없이 산 것 같다고.

그이의 말을 듣고 있자니 몸의 뻣뻣함은 여유 없이 살아온 지난 시간이 만들어낸 결과물 같았다. 앞으로는 여유 있게 지내면서 몸을 자주 이완시켜야겠다는 생각이 들었다. 가장 먼저 돌봐야 하는 것은 자신의 몸인데 소중한 것을 잊고 살아온 것은 아닌지. 그이도 나도 이제는 곡성이라는 영화의 대사 "뭣이 중한디?"라는 말을 자주 떠올려야 할 것 같다.

목 운동을 마치고 요가의 다운 독 자세를 한 다음 매트에 엎드려 코브라 자세, 비둘기 자세를 하니 따라 하던 남편의 입에서 끙 소리가 연달아 나왔다. 처음 요가원에 갔을 때 내 입에서 나오던 그 소리와 똑 같았다. 스트레칭 첫날 너무 힘들게 하면 앞으론 하지 않겠다고 떼를 쓸지도 모르는 일이라 좀 더 쉬운 동작을 이어 갔다.

서서 두 다리를 벌리고 두 팔로 노를 젓는 노 젓기 운동, 몸을 뒤로 젖힌 다음 제자리로 돌아오는 등배

운동, 허리를 돌리는 허리 운동, 오른발을 왼손바닥으로 찍고 왼발을 오른손바닥으로 찍으며 움직이는 제기차기, 허벅지 근육에 좋은 스쾃 자세, 복근 강화에 좋은 플랭크 동작까지. 아주 천천히 그리고 할 수 있는 만큼씩 하고 나서 숨 고르기를 하니 40분이 걸렸다.

직장에서 퇴직하기 전까지 테니스 왕좌와 탁구 왕좌를 굳건하게 지켜온 바 있는 남편이었지만 스트레칭 앞에서는 초보 수준이었다. 요가원에선 내 몸이 가장 뻣뻣한 편이었는데 남편 앞에서 내 몸이 유연하다고 생각되니 우습기도 했다. 유연하지 않은 우리 부부의 몸은 앞으로 얼마만큼이나 더 유연해질 수 있을까? 아니, 나보다 남편의 뻣뻣한 몸이 어떻게 변하게 될지 궁금해진다.

식탁 혁명

하루 24시간을 그이와 함께 지내는 하루하루가 이어지고 있다. 가끔 각자 모임이 있는 날을 제외하곤 세끼를 같이 먹는다. 그이와 함께 지내는 것이 아직까진 불편하지 않다. 오히려 함께 지내니 든든하다. 또 집안일을 함께 하니 편하다. 그이는 이제 웬만큼 설거지도 그릇 정리도 잘하고 있다. 역시 스캇 펙 박사님의 말처럼 사람은 누구나 문제를 해결하는데 필요한 시간을 들이게 되면 서툴렀던 일도 익숙해져서 잘할 수 있게 되는 것 같다.

그이와 빨래하고 청소하며 장보기 하는 시간도 같이 한다. 이것은 내가 그이에게 요청했고 그이가 내 요청을 받아들인 결과다. 그렇다고 집안일 모두를 똑같이 5:5로 분배해서 할 수는 없다. 아직도 가사 일의 많은 부분을 내가 감당하긴 하지만 그이가 거들어주기 때문에 가사노동이 줄어들었다.

요즘은 그이도 나도 무엇을 먹을까에 관심이 많다. 기초대사량도 줄고 사회적 활동이 줄다 보니 이제부터는 무엇을 먹느냐의 문제가 예민하게 다가왔기 때문이다. 오래 살기 위해서라기보다 아프지 않고 건강하게 살아가기 위해서 먹는 일은 중요한 문제라 생각한다.

우리는 건강은 물론 주방에서 보내는 시간을 최소화하기 위해서 식탁 혁명이 필요하다는 결론을 내렸다. 식탁 혁명을 위해 건강 관련 정보가 담긴 동영상을 찾아 시청하기 시작했다. 많은 동영상을 함께 보고 <식사가 잘못되었습니다. 1, 2> <소박한 밥상> <완전소화>라는 책도 읽었다. 우리 부부는 둘 다 고혈압과 당뇨는 없으나 콜레스테롤 수치가 높아 약을 처방받아 복용하고 있다. 그래서 이에 따른 적절한 음식 섭취에 대해 고민하며 실천하고 있다.

요리 방법은 끓이기, 굽기, 튀기기, 냉동, 건조, 염장, 등의 식품을 최소화하고 자연이 주는 푸성귀를 이용한다. 조리 시간 또한 불에서 최단 시간 조리하거나 일정 분량 날것으로 먹는다. 그렇다고 우리가 채식주의자가 되겠다거나 이런 조리 방법을 완벽하게 지키는 것은 아니다. 기분 전환을 위해선 밖에 나가서 먹고 싶은 음식을 사 먹을 때도 있다.

아침 식사는 신선한 물 한 잔과 제철 과일 한 접시를 먹는 것으로 간단하게 한다. 이런 식의 식사는 오전 중에는 간에 무리가 되지 않는 음식 섭취가 몸에 좋다는 류은경 작가의 <완전 소화>를 통해 알게 되었다. 게다가 이런 정도라면 남편도 거뜬하게 준비할 수 있는 한 끼 식사다. 설거지하는 것 또한 매우 간단해서 아침 식사 시간이 짧아졌다. 아침 먹는 음식의 내용을 바꾸니 여유로운 시간이 선물처럼 다가왔다.

점심은 당근과 토마토를 살짝 쪄서 믹서에 간 다음에 올리브유 한 수저를 듬뿍 넣은 당근 수프를 먹는다. 달걀은 매일 반숙으로 삶아서 하나씩 먹는다. 여름철 채소인 단호박과 감자를 찜기에 쪄서 먹는다. 집에서 만들어둔 요구르트에는 견과류를 듬뿍 넣고 레몬청과 함께 섞어 먹는다. 디카페인 커피 한잔을 내려 마신다.

저녁 식사를 밖에서 사 먹을 땐 주로 두부 요리, 생선구이, 청국장, 샤부샤부를 먹는다. 집에서 먹을 땐 된장 시래깃국에 잡곡밥을 나물 반찬과 먹을 때도 있고, 카레에 닭고기와 채소를 넣어 끓여 먹기도 한다. 육류는 데치거나 삶아서 먹고 생선도 찜기에 쪄서 먹는다. 밥은 여러 가지 곡물과 콩을 듬뿍 넣고 짓는다. 때론 만두를 쪄먹기도 하고 각종 채소를 넣은 비빔밥을 먹기도 하는데 저녁 식사는 되도록 6시 안에 마치려고 노력하고 있다. 소화하기 힘든 음식을 먹지 않으니 몸이 점점 가벼워지는 느낌이 든다.

식사는 간단히, 아주 이루 말할 수 없이 간단히 하고 거기서 아낀 시간과 에너지는 시를 쓰고 음악을 즐기며 자연과 대화하자던 헬렌 니어링의 말을 우리는 둘 다 좋아한다. 음식 만드는 시간이 줄어드니 책 읽고 글 쓰는 시간이 늘어나고 여유롭게 지내는 시간이 많아졌다.

제발 집이 팔리지 말았으면

이사를 하려고 부동산 중개소에 집을 내놓았다. 지금 사는 집은 20년 넘게 살아오면서 좋은 기억이 많은 집이다. 아이들의 성장 과정을 지켜보면서 함께 즐거워했던 시간이 축적되어 있다. 이 집에서 초등학교에 다니던 아이들이 중학생이 되고 고등학생이 되고 대학생이 되었다. 직장을 잡고 결혼해서 며느리와 사위까지 함께 모여 편안하고 여유롭게 쉴 수 있는 집이었다.

그이의 어머님과 할머님, 고모 고모부님, 이모님, 외숙모님, 다섯 형제와 조카들이 모이던 곳이었다. 나의 엄마와 큰어머님, 외숙모님, 오빠 언니 동생들이 수시로 드나들던 사랑채 같은 곳이었다. 거실에는 기다란 소나무 탁자가 있어 주방에서 커피를 내리면 카페 분위기가 난다. 50평대의 아파트라 거실이 넓다 보니 성인 20명이 넘는 인원이 모여서 가족 모임을 하기도 수십 차례 했던 집이다.

층수는 3층인데 창밖으로 우리 집 높이의 언덕 화단이 있다. 봄이면 언덕 화단에 살구꽃과 감꽃, 영산홍이 흐드러지게 피어난다. 여름에는 오래된 나무마다 초록 물결이 넘실대는데 아침이면 온갖 새들의 울음소리를 들으며 잠에서 깨어난다. 한낮엔 매미 소리, 밤엔 찌르레기와 귀뚜라미 우는 소리가 정겹게 들린다. 가을이 되면 감나무에 붉은 감이 대롱거리고 단풍잎이 화려하게 수를 놓는다. 겨울엔 가지마다 눈 쌓인 모습의 설경이 멋지다.

모임에 나가서 집을 팔기 위해 내놓았다고 했더니 지인들이 화들짝 놀라며 아쉬워했다. 전원주택의 느낌이 나고 조용하며 주차 걱정 없고 먼지 없는 좋은 집을 왜 팔려고 하느냐고. 집을 내놓은 데는 아이들의 의견이 한몫했다. 앞으로 둘이 살기엔 집이 클 테니까 조금 줄여서 이사하면 어떻겠냐고 제안했기 때문이다. 처음엔 아이들 제안을 받아들이지 않다가 그이가 퇴직하고 나자 고민하기 시작했다.

부동산 중개소에 집을 내놓은 지 한 달 만에 한 부부가 집을 보러 왔다. 순간 혹시나 집이 훌쩍 팔려버리면 어쩌나 염려되었다. 나만 그런 줄 알았는데 그이도 나와 같은 마음이 들었다고 한다. 다행히 처음으로 집을 보러 온 사람은 구매하지 않겠다고 부동산 중개업자를 통해 연락이 왔다. 거절당하는 소식 앞에서 남편과 나는 다행이라고 이구동성으로 말했다. 무슨 심보인가. 집을 팔겠다고 내놓고서 팔리면 어쩌나 하는 마음을 갖고 있으니 말이다.

우리 집엔 책이 많아서 책장이 여러 개다. 그릇도 많아서 그릇장도 여러 개, 옷이 많아서 옷장도 여러 개, 세라젬이며 안마의자, 승마기, 실내 자전거, 찜질기, 돌침대, 흙침대, 소나무침대, 책상, 집에 있는 나무 의자는 15개가 넘는다. 냉장고는 3대, 세탁기, 공기청정기, 에어컨, 제습기, 식기세척기, 주방용품들, 음식을 해 먹는 가전제품들과 베란다에 있는 화분들은 또 어떠한가. 대체 이 많은 짐을 어떻게 이고 지고 살고 있었나 모르겠다.

편리함을 위해 공간에 배치했던 물건들이, 유익하게 잘 사용했던 물건들이 언제부턴가 공간을 점령하고 있다는 생각이 들었다. 이젠 짐이 된 물건을 필요한 사람들에게 흘려보내거나 재활용품 장에 내놓아야 할 것 같다. 나이가 더 들어가면 내 손으로 짐 정리하는 것조차 힘들어질지 모르니, 이사하면서 짐을 줄이고 가벼워지기에는 지금이 적기라는 생각이 든다.

어제 또 한 사람이 집을 보러 왔다. 첫 번째 집을 보러 온 사람과는 사뭇 다른 느낌이었다. 딸과 함께 두 가족이 살고 있다는 사람이었는데 집이 마음에 든다고 했다. 손주가 우리 아파트 바로 옆에 붙어 있는 초등학교에 다니기 때문에 이사를 오려고 한다는 것이었다. 우리 집은 3년 전에 바깥 창호까지 다 바꾸었고 내부가 깨끗한 상태라 이사를 오게 된다면 벽지 장판도 갈지 않고 들어오겠다고 했다.

우리는 피아노며 장식장과 책장, 거실 탁자까지 모두 놓고 가겠다고 했다. 우리의 제안을 좋아하던 그 사람은 남편과 의논해 보고 연락을 주겠노라고 했다. 집을 보고 간 지 하루밖에 지나지 않아 아직 연락은 없지만, 이번에도 '집이 팔려버리면 아쉬워서 어떡하나' 하는 마음이 든다. 과연 우리는 이 집을 떠날 수 있을까?

글쟁이로 사는 하루 일상

동갑내기인 우리 부부는 둘 다 글쟁이다. 그이는 교직에서 근무하던 40대 초반부터 글을 쓰기 시작했다. 시인으로 등단 후 두 권의 시집을 냈지만, 그 후로 시는 쓰지 않고 주로 공부법과 자녀교육, 한자 어휘 관련된 글을 쓰고 있다. 나는 글 쓰는 일에 관심은 있었으나 대학에서 강사 생활을 시작한 이후 글을 제대로 쓴 적은 없었다. 그러다 3년 전부터 글을 쓰기 시작했다.

대학에서 국어교육을 전공하던 시절의 나는 '언젠가는 글을 써야겠다'라고 생각하고 있었는데 대학원에서 전공을 바꾸게 되면서 글 쓰는 일과 멀어졌다. 결혼 전에 내가 보낸 편지를 기억하고 있던 그이는 언제나 나에게 글을 쓰면 좋겠다고 했다. 그이의 오랜

재촉과 함께 코로나 때문에 밖으로 나다니는 활동을 멈추게 되면서부터 나의 글쓰기는 시작되었다.

그동안 이십 권이 넘는 책을 낸 그이는 퇴직 후 글 쓰는 일에 온전히 시간을 할애하고 있다. 나도 그이와 함께 글쟁이로 사는 날이 점점 늘어나고 있다. 우리가 온전히 글만 쓰는 날은 종일 각자의 책상 앞에 앉아 자판을 두드린다. 글 쓸 때의 집안 분위기는 모든 것이 정지된 느낌이다. 오직 타닥타닥 탁탁 자판 두드리는 소리만이 침묵 위를 걷는다.

글쟁이로 사는 하루의 시작은 아침에 눈을 뜨면 서로 마주 서서 인사를 한 후 체조와 요가를 섞어서 한다. 여름철이기 때문에 40여 분 남짓 맨손 운동을 하고 나면 온몸이 땀으로 흥건히 젖는다. 땀이 식기 전에 욕실에 들어가 샤워하며 부드러운 수건에 비누 거품을 내 서로의 등을 밀어준다. 신혼 시절의 매력적인 알몸은 아니지만, 이 나이에 아직은 봐줄 만한 몸매들이 아니냐면서 히죽거리는 시간이 되기도 한다.

아침 식사를 느긋하게 마치고 나서 각자의 자리에 앉아 글을 쓰기 시작한다. 오전 시간엔 집중하기 좋으니 글 쓸 때 최대한 서로 방해하지 않는다. 점심을 먹고 나서 그이는 20분 정도 낮잠을 잔다. 한낮 열기를 피해 나무 그늘에서 쉬는 농부처럼 그이의 낮잠 시간은 짧지만 달콤해 보인다. 나도 그이를 따라 침대에 눕고 싶지만, 낮잠을 자고 나면 새벽녘까지 잠을 이루지 못하기 때문에 안마의자에 앉아 쉬거나 세라젬을 하며 몸을 이완시킨다.

낮잠을 자고 일어난 그이는 물 한잔을 마신 뒤 책을 읽거나 다시 글을 쓴다. 나도 역시 그이와 마찬가지다. 글을 쓸 때 그이의 표정은 나와 다르게 비범하기도 하고 전투적이기도 하다. 그이는 잠시 쉴 때마다 시간이 왜 이리 빨리 지나가는지 모르겠다고 한다. 나 역시 글을 쓸 때는 시간이 화살같이 날아가는 것 같다.

저녁 먹기 전까지 글 작업을 하는 날은 식사를 밖에 나가서 사 먹는다. 글 쓰느라 식사 준비할 시간이 없기 때문이다. 서산의 해가 뉘엿거리는 분위기에서 식사를 마치고 나서는 저녁 운동을 나선다. 둘이 함께 아파트 꼭대기 층까지 계단 오르기를 한 뒤 엘리베이터를 타고 1층으로 내려와 동네를 산책한다. 빠른 걸음으로 동네 한 바퀴를 돌고 나면 1시간 정도 걸린다. 집에 돌아와 샤워하고 다시 글을 쓰다가 11시 반이 되면 잠을 자러 침실로 향한다.

퇴직 후 제2막 인생을 위해 한 친구는 땅을 사서 일구고 있다. 또 한 친구는 새로운 일터에 나간다. 여행을 다니는 친구와 골프를 시작한 친구도 있고 손주를 돌보느라 아들딸 집에서 기거하고 있는 친구도 있다. 우리 부부는 2막 인생의 시작을 글 쓰는 시간으로 메우고 있다. 지금처럼 글쟁이로 사는 둘만의 하루하루가 앞으로도 계속 이어졌으면 좋겠는데 그러지 못할 수도 있다. 손주들이 나오게 된다면 또 다른 시간 위를 걸어야 하니 말이다. 그러니 오롯이 글쟁이로 살 수 있는 시간이 주어진 지금 노트북 앞에서 열심히 자판을 두드릴 수밖에.

"우리 부부는 2막 인생의 시작을 글 쓰는 시간으로 메우고 있다. 지금처럼 글쟁이로 사는 둘만의 하루하루가 앞으로도 계속 이어졌으면 좋겠다."

-김경희-

"음식 만드는 시간이 줄어드니 책 읽고 글 쓰는 시간이 늘어나고 여유롭게 지내는 시간이 많아졌다."

-김경희-

Chap.4

멍게 피부로 살아내기

배은미

30년 동안 화농성 여드름 피부로 살았다. 힘든 시간이었지만 누군가에게는 도움이, 혹은 공감이 되기를 바란다. 치위생사로 8년을 살았고 떡 장사를 9년째 하고 있다. 외모 컴플렉스를 이겨내고 멋지게 바디프로필도 찍고 건강을 유지 중이다. 배드민턴, 달리기, 헬스를 즐기는 건강하고 내면이 아름다운 사람이다.

멍게 피부로 살아내기

나만 믿어 봐

쉰밥

박피

성형수술이 하고 싶어요

미수에 그친 범죄

나만 믿어 봐

초등학교 4학년 때부터 이마에 좁쌀 여드름이 생겼다. 또래보다 2차 성징이 빨랐고 호르몬 분비가 왕성했다. 일찍부터 생긴 여드름은 잠시 나타났다가 사라지는 정도가 아니었다. 중학생이 되자 크고 붉은 화농성 여드름이 얼굴 전체를 덮었다. 이런 외모 스트레스로 인해 유난히 힘든 사춘기를 겪었다. 별것 아닌 일에도 눈물이 났고 자존감이 낮아져 사람들의 얼굴을 똑바로 바라볼 수 없었다.

화가 많아졌고 학업 걱정과 여드름 스트레스가 극에 달했다. 다른 사람 앞에만 서면 움츠러들었다. 밖으로 나오기 싫었고 거리에선 바닥만 보며 빠르게 걸었다. 얼굴의 붉은 기가 워낙 심했기 때문에 보는 사람마다 한마디씩 했다. '여드름엔 이게 좋다더라' '이 화장품 한번 써봐라' '손대지 말고 병원에 가라' '어느 병원이 좋다더라' 등등. 같은 말을 여러 번 듣고 또 들어야 했다. '내 피부가 얼마나 보기 흉하면 그냥 지나치지 못하는 걸까?' 하는 피해의식이 점점 커졌다. 여드름의 원인이 유전인 것만 같아 부모님이 원망스러웠다.

손바닥에 만져지는 울퉁불퉁한 화산섬들이 한꺼번에 사라지는 기적은 정녕 일어나지 않을까? 단 한 번만이라도 매끈한 피부를 만져보고 싶었다. 아침저녁으로 세수를 한 후 수건으로 물기를 닦으며 주문을 외웠다. '화산 섬들아, 제발 들어가라! 사라져라! 가라앉아라!' 하지만 아무리 빌어도 기적은 일어나지 않았다.

어느 날 앞집에 사는 이종사촌 언니가 나를 집으로 불렀다 "은미야, 내가 여기 실장님한테 마사지를 받아봤는데 진짜 좋아, 되게 유명하신 분인데 언니가 받아본 곳 중에 최고야, 피부가 착 올라붙고 다음 날이면 맑아지는 게 눈에 확 띄더라. 내가 네 얘길 했는데 서비스로 한번 해준다니까 마사지 받아보자"라며 피부관리실 실장을 소개했다. 너무 좋다고 하니까 효과가 궁금했다.

다음날, 피부관리실이 아닌 언니네 집으로 갔다. 실장님은 언니네 집 거실에 화장품과 관리 기계를 잔뜩 펼쳐 놓고 나를 기다리고 있었다. "어머, 학생 진짜 속상하겠다. 예쁜 얼굴이 아주 난리가 났네. 그래도 십 대라 그런지 속살이 탱탱하고 탄력 있어서 금세 좋아지겠어, 이게 여드름에 진짜 효과가 좋은 성분이 들어있는데 두 달만 써보면 성난 여드름이 모두 들어갈 거야. 아유, 속상해 죽겠네, 걱정하지 마, 한번 치료해 보자" 수없이 많이 들었던 위로였지만 진심으로 공감해 주는 실장님의 걱정 어린 염려가 눈물 나게 고마웠다. 정말 고치고 싶었다. 이번에는 고칠 수 있다고 믿고 싶었다.

실장님은 한참 동안 내 얼굴을 주물렀다. 그녀는 마사지를 마치더니 화장품 한 뭉텅이를 내 손에 건넸다. 두 달 치 정도 되니까 본격적인 관리를 시작해 보자고 하는데 그녀의 말대로 될 것 같았다. 눈빛이 말했고, 현란한 손길이 예사롭지 않았다. 고치고 싶은 마음으로 이번만 마지막으로 믿어보고 싶었다. 엄마 카드를 몰래 가지고 와서 90만 원을 결제했다. 너무

나 큰 금액이었지만 이번 기회를 놓치고 싶지 않았다. 무섭기도 했지만 절실함이 더 강했기에 그냥 저질러 버렸다. 혼나는 건 뒷일이었다. 뒤늦게 이 사실을 알게 된 엄마는 넋이 나가 나를 멍하니 바라봤다. 나도 원망의 눈으로 엄마를 바라봤다. 두려움과 동시에 왜 내 얼굴은 이래야만 하는지 묻고 싶었다. 왈칵 눈물이 쏟아져 내렸고 계속 울었다. 한동안 눈물이 멈추지 않았다. 엄마는 이런 나를 한참 바라봤다. 엄마의 눈시울도 붉어지더니 내 마음을 알아챈 듯 같이 울기 시작했다. 그렇게 둘이 한참을 슬프게 울었다.

실장님의 말대로 마법같이 피부가 좋아졌다면 얼마나 좋았을까? 하지만 기적은 일어나지 않았다. 그녀의 현란했던 손놀림은 열이 많은 피부에 열감을 더해 성질을 돋우었고, 유분기가 많았던 기초세트는 지성이었던 내 피부와 전혀 맞지 않았다. 오히려 내 얼굴의 여드름은 점점 더 심해지면서 곪아 터졌다. 엄마는 실장에게 가서 따졌지만, 이미 사용해버린 화장품값은 돌려받지 못했다. 결국, 90만 원을 주고 산 화장품을 몇 번 쓰지도 못하고 쓰레기통에 처박았다. 또 당하고 말았다. 나의 절실함은 이번에도 무참하게 이용당했다. 그 뒤로 나는 세상의 어떤 화장품도 믿지 않게 되었다. 그때 일로 엄청난 스트레스를 받아 우울감에 빠졌다. 큰돈을 허무하게 써버린 죄책감이 컸다. 피부와 맞지 않은 화장품 때문에 얼굴이 전체적으로 더 붉어지고 아팠다. 매일 잠자리에 들면서 주문을 외웠다. '은미야 괜찮아, 자고 나면 잊어버릴 거야. 얼른 자자. 자고 나면 진짜 괜찮아질 거야. 정말 괜찮아. 혹시 아니? 아침이면 기적이 일어날지도 몰라. 잊어. 잊어버려. 괜찮아. 정말 괜찮아!'

그렇게 간절한 마음으로 빌었지만, 다음 날이면 또다시 기적 없는 하루가 시작되었다. 얼굴에 난 여드름은 더 심해지고 진정되기를 반복했다. 대인기피증이 올 정도로 스트레스가 심했지만, 밤마다 괜찮다고 다독이며 스스로 위로했고 일기를 쓰며 응어리를 풀었다. 누구에게도 말할 수 없는 속상한 마음을 혼자 털어내고 다독였다. 나 자신이 아픈 마음을 위로해주는 의사 선생님이었다.

쉰밥

현주와 짝이 되고 싶지 않았다. 현주는 깨끗하고 뽀얀 피부에 진한 쌍꺼풀이 있는 친구였다. 그런데 예쁜 얼굴과는 다르게 치명적인 단점이 있었다. 창자 안에서 나오는 듯한 입 냄새였다. 현주가 입을 벌리고 말하는 타이밍에는 숨을 참아야 했다. 둘 중 하나라도 교과서가 없는 날은 더 괴로웠다. 교과서를 같이 봐야 했는데 현주의 입 냄새가 지독했기 때문이다.

뽀얀 피부가 부러워서였는지, 다른 친구들 앞에서 세 보이고 싶어서였는지, 나는 입 냄새를 빌미로 현주를 은근히 괴롭혔다. 나도 여드름으로 인해 놀림받은 만큼 친구를 놀리면서 얻는 쾌감 같은 게 있었던 걸까? 하면 안 되는 줄 알면서도 약한 친구를 험

담하고 편 가르기를 하며 못난 짓을 하고 다녔다. 현주는 이렇게 행동하는 나와 점점 멀어졌다. 그러던 어느 날 못된 짓을 한 내가 벌 받는 일이 생겼다.

여기저기서 터지는 중저음의 욕설과 고함, 깔깔대는 웃음소리가 섞인 쉬는 시간이었다. 남자 친구 한 명과 내가 어쭙잖은 말싸움이 붙었다. 못생긴 나에겐 시작부터 불리한 싸움이었음에도 지고 싶지 않았다. 한마디도 지지 않고 대꾸하다가 그 녀석이 피부를 공격하는 마지막 한 마디에 그만 내 심장이 찔리고 말았다. “너는 쉬어빠진 썩은 밥을 먹어서 얼굴이 그렇게 됐냐? 멍게 쭈구리야! 하하하” 옆에 있던 다른 친구들이 그 녀석과 함께 배꼽을 잡고 웃었다. 녀석의 말을 받아쳐야 하는데 얼굴의 근육들이 일그러지면서 경련이 일어났다. 나는 두 손으로 얼굴을 가리고 울면서 교실 바닥에 주저앉고 말았다.

착한 친구를 괴롭혀서 벌을 받는 것 같았다. 쉬어빠진 썩은 밥을 먹어서 멍게 쭈구리가 됐냐는 말은 며칠 동안이나 내 머릿속을 맴돌았다. 결국, 나는 정신을 차리지 못하고 무너져 버렸다. 그 녀석들이 있는 교실에 들어가기 싫었다. 교실에만 들어가면 쉰밥이 떠올랐다. 말하지 않아도 그 녀석의 속마음이 다 보였다. 한쪽으로 스윽 올라가는 녀석의 입꼬리에 정확히 담겨있었다. 눈만 마주치면 그렇게 웃었다. 그 뒤로 나는 한동안 까불지 않고 조용히 지냈다. 엄밀히 말하자면 살고 싶지 않은 며칠이었다. 엄마만 보면 가슴속 응어리가 단단해졌다. 왜 나를 이렇게 낳았냐고, 나는 도대체 왜 이런 거냐고, 나는 언제쯤 매끈한 피부를 가질 수 있는 거냐고 따지고 싶은 사람은 엄마뿐인데 차마 이런 말을 입 밖으로 꺼낼 수 없었다. 화병이 날 것 같았다. 가슴 속에 불이 나서 터져버릴 것 같았지만 참고 또 참았다. 가게 일로 너무 바쁘시기도 했고 아빠의 못된 짓을 모두 받아주고 있는 엄마가 불쌍해서 벙어리가 냉가슴 앓듯 참았다.

학교에서 친구들이 화장을 진하게 하고 다니는 것을 보고 나도 화장으로 여드름을 가리면 되겠다 싶어서 화장품을 샀다. 이름이 참 마음에 들었다. 클린 앤 클리어. 새로 산 화장품을 바르면서 애절하게 주문을 외웠다. '내 얼굴도 클린하게 가려줄래? 아니 싹 지워줄래? 제발!'

로션을 바르고 그 위에 파우더를 덕지덕지 발랐다.

까무잡잡하고, 울긋불긋한 피부를 가리려고 시시때때로 발랐다. 파란색 기름종이도 필수였다. 얇고 팔랑거리며 손바닥만 한 새파란 직사각형의 기름종이는 얼굴에 붙여서 꾹 눌렀다가 떼면 피부의 기름을 흡수해 피부를 뽀송하게 해주었다. 얼굴의 유분기가 묻어나면 기름종이가 투명해졌다. 다른 아이들은 온 얼굴을 다 눌러도 직사각형 기름종이 중심부 정도만 투명해지는데 나는 한 장으로는 부족했다. 지성 피부여서 유분이 많아 유독 얼굴이 금세 번들거렸다. 창피하니까 한 장을 대충 쓰고 누가 못 보게 얼른 주머니에 넣었다. 그리고 새로 꺼내 처음 쓰는 것처럼 기름종이로 얼굴을 꾹꾹 눌러 나머지 전체를 닦아냈다. 내 얼굴은 기름종이 두 장은 써야 번들거리는 기름기를 다 없앨 수 있었다. 우리 엄마는 나를 키우는데 남들보다 돈이 두 배로 더 들었을 것 같다. 덩치가 크니 많이 먹여야 했고 화장품 값도, 병원비도 다른 친구들보다 두 배로 들었을 테니 말이다. 특히 피부과는 비급여 진료가 많아서 돈 쓰는 건 일도 아니었다. 어쨌든, 내 얼굴은 딸기처럼 늘 붉었는데 클린 앤 클리어 덕분에 강시처럼 하얗게 변장한 얼굴 뒤로 잠시 감출 수 있었다.

화장도 해보고, 교복도 줄여 입을 수 있었던 중3 즈음, 좋아하는 친구가 생겼다. 마음에 드는 이성 친구 앞에 서면 얼굴이 발그레해진다고 하지만 나는 표가 안 났다. 원래 내 얼굴이 빨갛게 달아올라 있었으므로. 나는 좋아하는 마음을 숨기며 준우 곁에서 맴돌았고 고백은 언감생심 꿈도 꾸지 못했다. 그냥 얼굴을 볼 수 있다는 것만으로 만족해야 했다. 등하교 길이 같아 가끔 함께 걸었고, 준우가 남들보다 일찍 등원하는 걸 알고 난 다음부터는 나도 그 애가 나올 시간에 맞춰 서둘러 집에서 나왔다. 준우와 같이 학교까지 걸어가는 15분은 힘들고 아픈 시간으로 가득 차 있던 학교생활을 위로해 주었고 정말 기분 좋은 시간이었다.

하지만 이 행복도 오래가진 못했다. 우리는 남녀가 섞여 여럿이 어울려서 놀았는데 나랑 아주 가깝게 지내는 친구가 어느 날 내게 말했다 "나 준우랑 사귄다. 어제 고백했어." 내 마음도 모른 체 친한 친구와 준우는 연인 사이가 되었다. 즐거웠던 등굣길이 슬픈 거리로 변했다. 습관처럼 일찍 집을 나오게 된 날은 먼발치에서 둘이 손을 꼭 잡고 걸어가는 모습을 지켜봐야 했다. 나는 비참한 마음으로 바닥을 보며 걸었다. 귀에 꽂은 이어폰에서 흘러나오는 노랫소리를 크게 키우고 마음을 달랬다. 어차피 이성 친구를 사귀는 행복 같은 건 내 생에 없을 것 같았지만, 준우와 친구가 손잡고 걸어가는 모습을 보는 것은 슬픈 일이었다. 그 둘을 쿨하게 축하해 주고, 나는 잠시 행복했던 시간을 곱씹으며 음악과 함께 하루하루를 살아갔다. 매일 아침 준우를 기다리며 들었던 그 노래, 터보의 '어느 재즈 바'를 들으면 그때 등굣길에서 설레던 콩닥거림과 이른 아침의 지저귀던 새소리가 떠오른다.

"지난 시간이 다시는 오지 않을 것을 알지만 아직도 너의 기억 그대로인데~아픈 상처들을 안고서 살아갈 순 있지만 지우긴 너무나 힘들어~"

박피

살이 베이거나 뼈가 부러지는 고통에는 기한이 있다. 밴드를 붙이거나, 깁스를 하고 어느 정도 시간이 지나고 나면 언제 그랬냐는 듯 상처는 깨끗이 아문다. 물론 상처의 흔적은 남지만 말이다. 모든 상처가 그랬으면 좋겠는데 내 얼굴에서 곪아 터지는 여드름은 시간 차이를 두고 번갈아 가며 끊임없이 얼굴 위로 솟아올랐다. 곪았던 자리는 움푹하게 패여 표시를 남겼다. 곰보 자국처럼 넓고 깊게 파인 흉터였다. 내 얼굴에 유난히 곰보 자국이 많은 것은 화농성 여드름이 심했던 탓이었다. 염증이 깊이 생기면 표피 아래쪽 진피층까지 내려와 손상을 입히는데 그것이 푹 패인 자리를 남기는 것이다.

나는 사람의 얼굴을 제대로 쳐다보지 못했다. 얼굴

이 왜 그러냐며 물을까 봐 겁이 났다. 못생긴 내 얼굴을 보며 속으로 흉볼까 봐 당당히 얼굴을 들 수 없었다. 타인과 눈 맞춤이 참으로 어려웠다. 가까운 가족과 친구들의 사이에서도 웃자고 말한 농담을 들은 날이면 이불속에서 베갯잇이 다 젖을 때까지 울었다. 하염없이 쏟아지는 눈물 콧물을 베개에 문지르면서 실컷 울고 나면 똥 같던 기분은 조금 나아졌다.

피부과가 오픈하게 되면 이벤트로 몇 가지 시술을 저렴하게 해준다. 그럴 땐 꼭 흉터 치료 상담을 받곤 했다. 마침 집 근처에 새로 생긴 곳이 있어 상담을 받으러 갔다. 의사 선생님은 둥글고 밝은 조명을 켜고 이리저리 내 얼굴을 살폈다. 수없이 들락거린 염증과 치열하게 전투를 벌이며 지쳐있는 내 피부를 찬찬히 들여다봤다. 수분을 머금은 살구색의 건강한 피부는 얼굴 어느 구석에도 없었다. 턱까지 영역을 확장한 성인형 여드름이 시작되는 시기였기 때문이었다. 새로운 병원에서 추천한 치료법은 해초박피였다. 여러 가지 피부 시술을 받았지만, 효과가 미미했기에 박피를 하기로 했다.

필링이나 얇게 벗겨내는 시술보다는 박피가 좀 더

효과가 있다는 얘기를 들었다. 아프더라도 좀 더 센 치료를 받고 싶었다. 이벤트 가격이라고 했지만 만만치 않은 비용 때문에 사회 초년생이 모은 몇 푼 안 되는 몇 달 치 비상금을 피부과에 모두 갖다 바쳤다.

첫 박피 시술을 받던 날, 시술실 문을 열자마자 청량감을 주는 아로마 향기가 긴장됐던 기분을 가라앉혀 주었다. 깨끗한 침구를 걷어내고 누우니 침대의 따듯한 온기가 경직돼있던 몸의 근육들을 이완시켜주었다. 긴장한 탓에 온몸이 굳는 것 같았지만, 클렌징을 할 때까지는 마음을 푹 놓고 있어도 괜찮았다.

고운 입자의 스팀이 얼굴을 향해 풍성하게 쏟아졌다. 남들처럼 고운 얼굴이었다면 스팀으로 시작해서 비타민이나 오일을 바르며 피부에 영양을 주는 호강스러운 날이었겠지만, 내 피부로 쏟아지는 고운 스팀은 곧 있을 죽기 살기의 전쟁을 치르기 위한 전 단계 작업이었다.

"잠시만 누워 계세요" 시술 준비를 마친 간호사 선생님이 떠났다. 두근거리는 마음으로 깊이 심호흡을 하며 기다렸다. 의사 선생님이 들어왔다. 내 얼굴을 이쪽저쪽으로 돌려보며 상태를 체크 하더니 "좀 아플 거예요"라고 말했다. 이마 위에 약제가 올라왔다. 이것이 해초의 향기인가! 살짝 쿰쿰한 냄새가 코로 들어오자마자 의사 선생님은 해초가루를 이마 위에 문질렀다. 핸들링과 동시에 이마가 찢기는 듯한 통증이 밀려왔다. 유리를 빻아서 부셔 넣었나? 얼굴을 갈아내는 건가? 숨을 쉬기 힘들었다. 내 쉬는 호흡에 고통이 쏟아져 나왔다. 찰나의 통증이 얼굴뿐 아니라 온몸으로 파고들었다. 숨 쉬면 너무 아프니까 최대한 참아야 했다 볼을 문질러 댈 때는 피부가 벗겨지는 건 아닌가? 속살이 다 드러난 건 아닌가? 이건 해초가 아니고 정녕 유릿가루가 아닐까? 생각했다. 오른쪽 시술이 끝났다. 펑펑 울고 싶은데 왼쪽이 남았다. 등은 땀으로 다 젖었고, 오른쪽 뺨은 화상을 입은 듯 불타올랐다.

"무슨 수를 써서든지 빨리 얼굴에 열을 좀 식혀 주세요. 제발!" 냉 기구가 켜지는 동안 흠뻑 젖은 손바닥을 세차게 흔들어 얼굴에 바람을 불어넣었다. "이 사람들은 알까? 얼마나 아픈지? 모를 거야, 모르니까 동작이 느리지!" 느리게 행동하는 간호사 선생님을 흉봤다. 왼쪽까지 시술을 마치고 침대에서 일어났다.

타오르는 얼굴이 곧 폭발할 것 같았다. 그동안의 시술 경험으로 미루어 보아 알 수 있었다. 흉측한 시술 직후의 얼굴을 말이다. 눈 주변을 제외한 얼굴 전체가 시뻘겋게 달아올라 퉁퉁 부어 있었다. 집으로 돌아와 누웠다. 잘하고 왔는지 방문을 빼꼼히 열어보는 엄마의 시선이 느껴졌다. 너무 뜨겁고 아파서 연신 부채질을 해대며 울고 있는 모습에 엄마가 크게 한숨을 쉬었다. 보지 않아도 보였다. 엄마의 슬픈 얼굴이.

"많이 아파?"

"……"

눈물이 볼을 타고 옆으로 줄줄 흘러내렸다. 눈물이 흐르는 자리도 따가워서 울면 안 되는데 엄마의 한마디에 설움이 밀려왔다. 우는 나를 보고 엄마는 문을 닫고 나가셨다. 엄마는 안방에 가서 흐느끼고, 나는 내 방에서 울었다. 엄마는 내가 얼굴 치료를 받고 올 때마다 엄마 탓인 양 미안해하셨다. 그 뒤로 네 번을 더 해야 했던 박피 시술은 2번만 하고 다 마치지 못했다. 시술 날이 가까워지면 스트레스가 너무 심해져서 위경련이 일어났다. 차라리 곪아 터지는 게 나을 것 같다고 생각할 정도로 통증이 심했다. 3회 시술을 남겨둔 채 중도 포기를 선언했다. 그 뒤로는 어떠한 박피 시술도 받지 않았다. 해초박피 후에도 계속 올라오는 여드름 때문에 흉터 치료는 큰 효과가 없었다. 최대한 진정시켜 가며 함께 사는 수밖에는 달리 방법이 없었다.

마흔 살이 된 지금, 글을 쓰며 계속 얼굴을 만진다. 최근에도 흉터 재생 시술을 받았고, 약하게 곰보 자국만 남아있다. 볼록하게 튀어나온 염증들은 다 사라졌다. 12살부터 시작해서 약 30년을 짜고 벗기고 피지를 말려가며 치료를 받았다. 고생한 피부를 쓰다듬었다. 손등의 피부를 떼어다가 이식 수술을 하면 안 되나, 허벅지 안쪽의 피부를 떼어다가 얼굴에 붙이는 건 불가능할까. 많이 괴로웠고 견디기 힘든 시간이었다. 꽃처럼 예쁜 20대의 젊음보다 얼굴에 아무것도 만져지지 않는 마흔 살, 오늘이 내 인생에서 가장 예쁜 날이 아닐까 싶다.

성형수술이 하고 싶어요

수능을 마치고 졸업할 즈음에도 성난 여드름은 사라질 기미가 보이지 않았다. 이제 대학생이 되는데 얼굴이 계속 못생긴 채로 살 순 없지 않은가. 피부는 의지로 불가능했지만 눈 코 입을 고치는 건 지금 바로 마음먹으면 가능한 일이었다. 피부가 이 모양인데 눈이라도 예뻐야 하지 않겠냐고 엄마에게 쌍꺼풀 수술을 해달라며 졸라댔다. 엄마의 큰 눈은 안 닮고 아빠의 작은 눈을 닮아 예쁜 구석은 어디에도 없어 보이니 눈을 고쳐달라고 협박했다. 생각해 보니 억울한 점이 많았다. 하늘도 무심하시지, 양쪽 부모님의 안 좋은 점만 고르고 골라 물려주신 것 같았다. 눈도 고치고 코도 고치고, 피부도 뒤집어서 다시 태어나는 것처럼 살고 싶었다.

드디어 허락을 받아냈고, 기대 반 두려움 반으로 수술 날짜를 잡았다. 예쁜 눈으로 다시 태어나기 위한 수술 날, 신이 나서 집을 나서는데 뒤통수 너머로 아버지의 음성이 따라왔다 "크게 뒤집어까지 말고, 어! 얇게 자연스럽게 하고 와! 눈 수술하고 흉측하게 바뀐 여자들이 한둘이 아닌데 왜 너는 예쁜 얼굴에 칼을 대려고 그러냐!" 아빠는 못마땅해했지만 어쩔 수 없이 허락한 걸 알고 있었다. 조금 무섭긴 했지만 예뻐질 수 있다면 뭐든 할 수 있었다. 보수적이고 권위적이었던 아빠는 표가 나지 않게 자연스럽게 하고 오라며 신신당부를 했다.

의사 선생님이 수술실로 들어오셨다 "선생님, 아주 최대한 얇게요, 자연스럽게요! 꼭요! 저희 아빠가 진짜 무섭거든요, 두껍게 하면 혼나요, 꼭 얇게 해주셔야 해요!" 예쁘게 해달라고 해야지, 얇게 해달라고 사정하는 내가 웃긴다고 생각했다. 그래도 허락해 준 게 어디냐 싶어서 아빠에게 감사했다.

수술을 마치고 집에 돌아가 침대에 누웠다. 거울을 보니 좀 징그러웠다. 너무 아파서 자려고 누웠는데 긴장이 풀리고 몸살이 오는지 온몸이 욱신거렸다. 피딱지가 앉은 두 눈을 보고 엄마는 또 눈물을 훔쳤지만, 나는 괜찮다고 미소 지었다. 예뻐질 것을 상상하니 좋았다.

눈 수술을 마쳤다. 이제는 코다. 코 성형은 끔찍하리만큼 아프다고 했다. 보형물이 잘못되면 재수술을 받아야 한다고 했다. 그리고 무엇보다 우리 호랑 아버지는 코 성형만큼은 절대 허락해 주지 않으실 분이었다. 이런저런 고민 끝에 보형물보다는 표가 덜 나는 필러를 넣기로 결정했다. 친한 언니가 녹지 않는 필러로 유명한 병원을 찾아냈다. 왕복 4시간을 가야 하는 거리였지만 설레는 마음으로 달려갔다. 예뻐진다는데 어디든 못 가리, 룰루랄라 땅끝까지도 갈 수 있었다.

"너는 여기 좀 고치자, 여기도 좀 고치고"

"언니는 여기가 죽었어, 여기만 좀 살리면 될 것 같아"

언니랑 둘이 서로 여기 좀 고치라고 지적하며 수다를 떨다 보니 벌써 내려야 할 역에 도착했다. 생각보다 작은 규모의 병원이었고, 간략한 상담 후에 침대 위에 누웠다.

“선생님, 최~대한 표가 안 나게요. 아빠한테 걸리면 쫓겨나거든요. 자연스럽게 아주 조금만 높여주세요.”

“아니 필러 맞는데 표가 팍팍 나야 하지 않겠어요? 콧대를 쭉 높여야지요, 최대한 자연스럽게 해줄 테니까 자, 걱정하지 말고 누워 계세요.” 의사 선생님은 약물이 가득 채워진 주사기를 콧등에 꽂았다. ‘우두두둑, 두둑, 드드득, 쿡 쿡’ 약이 밀려 들어갔다. 액체가 아닌 약간 젤리 같은 점성을 가진 필러가 콧등 위로 밀려들어 가는 느낌이 들었다. 조물조물 콧등을 만지더니 또 찔러 넣으셨다. ‘두두둑, 뿌득, 뿌득, 우드드드득’ “자, 끝났습니다, 거울 한번 볼까요?” 신데렐라의 거울인가? 성형외과답게 고급스럽고 예쁜 거울을 건네주셨다. 너무 떨렸다. 닳고 닳은 야트막한 과속방지턱 콧등이 다시 태어나는 순간이었다. 긴장감에 촉촉해진 손바닥의 땀을 바지에 문질렀다. 거울을 받아들고 얼굴을 마주했다.

“악! 선생님! 저 집에서 쫓겨나요!” 너무 높아진 코를 보자마자 겁부터 났다. “지금보다 절반 정도 가라앉을 거예요, 절대 코에 손대지 말고 부딪히지 않게 조심해야 해요!” 몇 가지 주의사항을 듣고 침대에서 내려왔다. 이미 넣은 걸 되돌릴 수 없으니 일단 내려왔다. 같이 간 언니도 이곳저곳 작정을 하고 필러를 밀어 넣었다. 올 때와는 확연히 달라진 얼굴의 두 사람이 서로를 바라보며 배꼽도 잡았다가 걱정도 했다가 난리를 치면서 돌아왔다.

며칠 동안을 아빠랑 마주치지 않기 위해 긴장 속에서 살았다. 의사 선생님 말씀대로 드높았던 콧등은 적당히 낮아졌고 아빠는 눈치채지 못했다. 약간 후회도 했다. 너무 덜 높였나 하고 말이다. 그때 맞았던 필러는 근 20년을 내 콧등 위에 얌전히 잘 앉아있다. 고가의 필러였던 그 약물이 잘 있는지 어떻게 아느냐고? 몸이 피곤할 때 눈꺼풀의 떨림 증상이 필러를 맞은 콧등 위로 옮겨가 펄떡거린다. 콧등에 손을 대고 있으면 느껴질 정도로 말이다. 그 뒤로도 스무 살 아가씨의 예뻐지고 싶은 간절함은 어떤 통증도 감내할 수 있는 무기가 되어 주었다.

미수에 그친 범죄

여드름 때문에 고민이 많았던 사춘기 시절, 그 시절이 지나고 외모에 관심을 쏟았던 결혼 전의 내 모습을 생각하면 웃음이 나온다. 왜 그렇게 겉모습에 집착하며 살았는지 지금 생각해 보면 그것보다 중요한 것이 더 많다는 생각이 든다. 두 아이의 엄마가 된 요즘의 나는 외모보다는 내면의 아름다움을 가꾸기 위해 노력하고 있다. 무엇보다 건강한 신체 활동을 통해 내 안을 들여다볼 줄 아는 사람이 되었다는 것이 감사할 따름이다. 하지만 지나간 것도 나름의 의미가 있다. 외모에 대한 고민이 많았던 나의 과거 또한, 지금의 나를 만들어준 자양분이 되었을 테니까 말이다. 지난날의 기억 중에 피부 문제에 버금가는 사건 하나가 있다.

어렸을 때 부모님께선 떡집을 운영하셨다. 우리 떡집 옆에는 횟집이 있었다. 우리가 시장으로 이사 오고 난 다음 해에 정희네 횟집이 이사 왔다. 그 집에는 나보다 두 살, 네 살 어린 자매가 있었는데 첫째 아이 정희와 노는 것이 특히 재미있었다. 매일 축구, 비석 치기, 팽이치기하며 하루종일 붙어 다녔다. 정희는 키는 자그마한데 약삭빠르면서 운동신경이 좋아 스피드를 맡았고, 나는 힘쓰는 일을 맡았다. 내 동생은 상대를 약 올리는 일을 맡았다. 우리는 어떤 게임이든 자주 이겼다. 그야말로 최강 조합 어벤저스 군단이었다. 밥도 알아서 잘 챙겨 먹었다. 우리 집과 정희네 집을 한 번씩 번갈아 가며 라면도 끓여 먹고 냉장고에 있는 간식도 정희 네 집 것, 우리 집 것 가리지 않고 꺼내먹었다. 시장통에 사는 우리는 슈퍼도 엎어지면 코 닿는 곳에 있어서 과자와 아이스크림도 입에 달고 살았다. 장사하시는 양쪽 부모님들은 오백 원만, 천 원만 달라고 하면 돈을 척척 잘 주셨다. 지금 생각해 보니 바쁘니까 얼른 갖고 나가기를 바라셨던 것이 아닐까 싶다.

"회 먹어라. 매운탕에 밥도 먹자, 싱싱한 것으로 맛

있게 해놨다. 새우튀김도 먹어라, 식기 전에 먹어라." 먹는 것을 좋아했던 나는 일주일에 한두 번 정도 정희 엄마가 밥 먹자고 부를 때를 은근히 기다렸다. 아니, 대놓고 기다렸다. "오늘 엄마한테 가서 튀김이 먹고 싶다고 해" "정희야, 너 매운탕 먹고 싶지?" "오늘 회덮밥이 먹고 싶지 않냐?" 내가 먹고 싶은걸 그 아이에게 추궁했다. 그러면 정희는 눈치채고 엄마에게 가서 말했다. 나는 정희 엄마가 눈치채지 못하게 내가 먹고 싶었던 것이 아닌 것처럼 끌려 들어가듯 들어가서 음식을 모두 먹어치웠다. 너무 열심히 먹다가 부끄러운 생각이 들어 "야! 너는 먹고 싶다고 해놓고 왜 안 먹냐."고 정희에게 말하면서도 수저를 놓지 않고 싹싹 긁어먹었다.

일이 있던 날도 새콤하고 고소한 회덮밥을 먹었다. 다음날은 학교에 안 가는 날이라 각자 잠잘 준비를 한 후 횟집에 모여서 함께 잠을 자기로 했다. 정희네 집과는 워낙 격 없이 지냈던 터라 양쪽 부모님 모두 서로의 집에서 자는 것을 흔쾌히 허락해 주셨다. 정희네와 우리 집 1층은 가게, 2층은 주거용인 상가주

택으로 집과 가게가 위아래로 붙어 있었다.

우리는 잠옷으로 갈아입고 정희네 식당으로 모였다. 테이블을 한쪽으로 밀고, 바닥에 방석을 깐 다음 얇은 이불을 덮어주니 방석 침대가 만들어졌다. 시장의 가게들도 모두 불이 꺼졌고, 우리도 과자를 먹으며 TV를 보다가 스르르 잠이 들었다. 시간이 얼마나 흘렀을까? 캄캄한 어둠 속에 인기척이 느껴졌다. 누군가 내 옆에 깍지를 끼고 앉아 고개를 숙인 채 한숨을 쉬었다. 술 냄새가 많이 났다. 식당의 한쪽 벽에는 빨간 불이 들어오는 큰 전자시계가 있었는데 사람의 움직임 정도는 눈에 보였다. 그런데 옆에 앉은 사람은 내 동생도, 정희네 자매도 아니었다. 남자 어른이었는데 얼굴을 숙이고 있어서 누군지 알 수 없었다. 정희네 아빠인가? 아니면 정희네 외삼촌인가?

당시에 횟집 기술을 배우기 위해 정희네 외삼촌이 시골에서 올라와 있었다. 혹시 정희 외삼촌인가? 하는 생각이 들었지만 캄캄해서 알아볼 수 없었다. 정희네 아빠건 삼촌이건 간에 영 불편해서 나가야겠다 싶었다. 잠들 때까지 기다릴까 생각하고 있는데 앉아 있던 그분이 자리에 드러누웠다. 잠시 기다렸다가 그 사람이 자는가 싶을 때 조용히 일어나 횟집을 빠져나왔다.

우리가 사는 건물의 2층에는 우리 집과 정희네 집이 나란히 있었고 두 집의 뒷문과 마주 보고 있는 원룸이 하나 비어있었다. 부모님께 졸라서 비어있는 원룸 하나를 내방으로 사용하고 있었다.

횟집을 빠져나와 새벽의 어둠 속에서 더듬더듬 벽을 짚어가며 내방으로 겨우 올라왔다. 살짝 잠이 든 상태에서 깼던 터라 바로 잠이 오질 않았다. 침대 위 천장에 붙여놓았던 야광 별 스티커를 멀뚱멀뚱 바라보고 있었다. 시간이 얼마나 흘렀을까. 고요하던 새벽밤에 내 방 창문 앞에서 아주 천천히 커튼이 스르륵 열리는 소리가 났다. 몸이 먼저 반응해 심장이 벌렁벌렁 뛰기 시작했다. 창문에는 방범창이 없었다. "스...윽..." 표가 날듯 안 날 듯 아주 미세한 소리가 들렸다. 몸을 움직일 수 없었다. 전신의 혈관이 모두 펄떡거렸다. 소리가 멈췄고 잠시 정적이 흘렀다. "탁!" 책상 위로 화병 넘어지는 소리가 들렸다. 처음 가져본 내방이라서 아기자기한 소품들과 꽃병을 창문 앞에 놓아두었는데 그중 하나의 유리병 넘어지는 소리였다. 누가 들어오려고 했다. 머뭇거릴 수 없었다. 소리를 듣자마자 팔딱 뛰어 일어섰다. "누구야!" 소리치면서 침대 위에 있던 형광등 줄을 잡아당겼고 불이 번쩍 켜졌다. 훅 들어오는 불빛에 눈이 부셔서 또렷하게 보지 못했지만 흰 티셔츠를 입은 남자가 엎드린 채 창문 아래로 쑥 내려가며 재빠르게 사라졌다. 분명 흰옷이었고 여자가 아니었다. 아이도 아니었다. 성인 남자의 등이었다. 온몸이 부들부들 떨리고 심장은 쾅쾅 소리를 내며 터져나갈 것 같았다. 불을 켰던 그 자세로 몸이 굳어버렸다. 분명 커튼을 치고 잤는데 반쯤 열려있었고, 조화를 꽂아 둔 화병은 책상 위에 엎어져 있었다. 어서 부모님께 알려야 하는데 몸이 움직이질 않았다. 목소리도 낼 수 없었다. 환하게 불이 켜진 방 침대 위에서 한참 동안 서 있었다.

엄마에게 가야 했다. 시간이 지나면서 숨을 쉴 수 있을 만큼 호흡이 돌아왔을 때 다리를 움직였다. 불을 켜둔 상태로 원룸의 방문을 열고 복도로 나왔다. 원룸과 마주 보고 있던 정희네 집 뒷문이 반쯤 열린 채 안에서 빛이 새어 나왔다. 열린 문틈으로 눈을 돌렸다. 흰옷을 입은 사람이 거실에 누워있었다. 빠르게 지나왔기에 누군지 얼굴을 알아볼 순 없었다. 문틈으로 얼굴을 확인할 용기는 없었다.

엄마에게 달려갔는데 엄마를 깨울 수 없었다. 범죄가 미수에 그친 상황이었다. 상상하고 싶지도 않은 범인이 동고동락한 이웃 중 한 사람임을 알려야 했다. 말하는 순간 경찰이 올 것이고, 사이렌이 울릴 것이고, 시장통은 난리가 날 것 같았다. 양쪽 어른들의 싸우는 모습이 떠올랐다. 이러지도 저러지도 못한 채 끙끙 앓았다. 벌어질 모든 상황이 내가 알 바 아니었고 그따위 걱정은 할 일이 아니었지만, 결국 나는 끝내 말하지 못했고 끔찍이도 무서웠던 밤을 앉은 채로 지새웠다.

아침이 밝았다. 엄마가 앉아있던 나를 발견하고 놀랐다. 그제야 눈물을 쏟으며 자조치종을 설명했다. 정희 아빠인지 삼촌인지 모르겠다고, 그런데 분명 정희네 뒷문이 열려있었고 엎드렸던 사람의 옷과 거실에 누워있던 사람의 옷 색깔이 같았다고 거기까지만 얘기했다. 사건이 어떻게 해결되는지 가슴 졸이며 며칠을 보냈던 것 같다. 다음날 바로 방범창을 달았고 방을 비웠다. 그 뒤로는 횟집에서 자지 않았다. 시끄러운 일도 일어나지 않았다. 그 일은 조용히 넘어갔고 빌어먹을 평화는 유지됐다. 한동안 고요했다. 사실, 나는 범인이 누군지 알고 있었다. 삼촌은 왜소했고, 정희 아빠는 배가 나온 보통의 몸이었다. 엎드렸던 등판의 흰옷 위로 척추뼈가 불뚝 솟아 있었고 허리통에는 살이 없었다. 범인을 말하면 안 될 것 같았다. 그냥 그 뒤로 삼촌이 보이면 피했고 삼촌이 있을 땐 절대 횟집에 들어가지 않았다. 엄마에게만 정희 아빠는 그럴 사람이 아니니 삼촌인 것 같다는 뉘앙스로 넌지시 전달했다.

엄마가 어떤 조치를 했던 것일까? 오래 지나지 않아 정희네 삼촌은 자기 집으로 떠났다. 그제야 나도 편하게 정희네 집을 오갈 수 있게 되었다. 시간이 흘러 정희네는 멀리 이사 갔고 우리는 아직도 그 자리에 살고 있다. 어른들은 오랜 세월 함께 이웃사촌으로 지내셨기에 모임을 만들어 지금도 계속 연락하며 지내고 있다.

내가 스무 살 중반쯤 되었을 때, 엄마가 아빠에게 하는 이야기를 우연히 듣게 되었다. 정희네 외삼촌이 죽었단다. 스스로 목숨을 버렸다고 했다. 사람이 죽었다는 소식을 듣고 안타까운 마음이 들어야 하는데 사건이 있었던, 그날 밤의 일이 떠올라서 몸서리가 쳐졌다. 결국, 나는 고인의 평안한 안식을 빌지 못했다.

지금도 가끔 뉴스에서 성폭행뿐 아니라 살인범과 강도범을 검거하고 나면 가까운 이웃이었다는 기사를 보게 된다. 그럴 때마다 피해당할 뻔했던 그날 밤 일이 떠오른다. 겪어보니 착한 사람, 나쁜 사람이 따로 있는 것이 아니었다. 아이, 어른도 가리지 않는다. 아직도 성폭력 범죄는 줄어들지 않고 있다. 처벌이 더욱 강력해져야 한다고 생각한다. 피해자들은 정상적인 생활이 불가능할 정도로 몸과 마음의 상처가 오래가기 때문이다. 피해당하는 순간 얼마나 무섭고 끔찍했을까 생각하면 눈물이 흐른다.

"꽃처럼 예쁜 20대의 젊음보다 얼굴에 아무 것도 만져지지 않는 마흔 살, 오늘이 내 인생에서 가장 예쁜 날이 아닐까 싶다."

-배은미-

"누구에게도 말할 수 없는 속상한 마음을 혼자 털어내고 다독였다. 나 자신이 아픈 마음을 위로해 주는 의사 선생님이었다."

-배은미-

“두 아이의 엄마가 된 요즘의 나는 외모보다는 내면의 아름다움을 가꾸기 위해 노력하고 있다. 무엇보다 건강한 신체 활동을 통해 내 안을 들여다볼 줄 아는 사람이 되었다는 것이 감사할 따름이다.”

-배은미-

Chap.5

글쓴이만 재미있는 이기적인 수필

신주희

주변에서 흔히 만날 수 있는 평범한 가정의 엄마이자, 해충 방역과 청소 관련 회사에서 나이는 가장 많은 과장이지만 귀여움을 담당하며 즐겁게 살고 있다. 코로나 19 사회적 거리 두기 덕분에 2021년부터 세 명의 아이들과 함께 책을 읽고 있다. 그 순간이 행복하고 감사해서 지금까지 네이버 오디오 클립과 블로그에 그 내용을 기록하고 있다. 가정과 직장에서 쌓인 스트레스를 글을 쓰며 치유해 나가고 있다.

글쓴이만 재미있는 이기적인 수필

최강 치유 아이템을 찾았다

떡볶이

구더기

주방 가위

무모한 나, 내 삶이 즐겁다.

최강 치유 아이템을 찾았다

나는 알코올 의존증 환자였다. 그리고 미친 여자였다. 밤이 되면 보통 사람들처럼 잠이 들고 싶어 마시기 시작한 술. 처음엔 적당히 마셨지만, 시간이 지나면서 술에 점점 깊이 빠져들었고 아이들이 등교해서 하교할 때까지 틈만 나면 술을 마셨다. 매일 술을 마시면서 아이들과 함께 있을 때는 정신 줄을 단단히 잡고 '좋은 엄마'라는 가면을 쓴 채 아무렇지 않은 척 연기했다.

2015년 3월의 어느 날, 그동안의 노력이 와르르 무너져 버린 날이 찾아왔다. 그날도 여느 때처럼 아이들이 없는 틈에 술을 마시고 잠이 들었다. 아이들이 올 시간이 된 것 같아 눈을 뜨니 오후 4시가 아니라 새벽 4시였다. 순간 머릿속이 새하얘졌다가 한꺼번에 오만가지 생각이 쏟아졌다. 애들은 저녁을 어떻게 먹었는지, 애들 앞에서 내가 실수한 것은 없는지, 다 마신 술병은 자기 전에 미리 치워두긴 했는데 제대로 치웠는지. 하지만 기억이 나지 않았다. 맨정신으로는 내가 마주하고 있는 상황을 견딜 수가 없어 술을 의존하게 되었지만, 아이들에게만큼은 엄마의 좋은 모습만 보여주려고 무척 애를 썼는데 한순간에 물거품이 되어버린 것 같았다.

불안한 마음이 들면서 심장이 요동쳤다. 침대에서 일어나야겠다는 생각이 들었다. 그런데 마음과 달리 몸이 말을 듣지 않았다. 침대에서 일어날 수 없었다. 몸이 마치 비를 잔뜩 맞은 운동화처럼 축축했고 무거웠다. 침대에 누운 상태로 침대 주변을 살폈다. 방안에는 빈 맥주 캔들이 흩어져 있었다. 다시 눈을 감았다. 30분 정도 지났을까. 목이 타는 듯한 느낌에 더는 누워있을 수 없었다. 똑바로 일어설 수 없어서 다리를 질질 끌고 나와 안방에 있는 냉장고 문을 열었다. 1.5 리터 사이다를 집어 들고 벌컥벌컥 마셨다. 갈증이 해소되니 살 것 같아 긴 숨을 내쉬었다. 닫힌 냉장고 문에 비친 부스스한 나를 보며 '쓰레기 주제에 살고는 싶은가?'라는 생각이 들어 헝클어진 머리를 두 손으로 사정없이 거세게 문질렀다. 마시던 사이다를 냉장고에 넣고 식탁과 싱크대를 확인했다. 내가 식탁을 치우지 않았으면 종일 식탁 위에 빈 그릇과 음식이 나뒹굴거나 개수대 안에 설거지가 가득 쌓여 있어야 할 텐데 아주 깨끗했다. 회식으로 늦는다던 남편이 일찍 들어올 리는 없고 상황이 이해되지 않아 기분이 묘했다.

술을 먹고 인사불성이 되어있는 동안, 8살 큰아이와 4살 쌍둥이가 알아서 저녁을 차려 먹고 식탁을 치우고 설거지했다고 생각하니 누가 내 머리통을 퍽하고 때린 것처럼 얼얼했다. 아이들은 내가 좋은 엄마 연기를 하고 있다는 것을, 이미 알고 있었던 모양이다. 완벽하게 연기를 한다고 착각한 내가 바보였다. 나만의 괴로움에 갇혀 아무것도 보지 못했다. 명치부터 목구멍까지 꽉 막힌 것 같은 기분이 들었다. 그 이상한 막힘이 목구멍에서 입으로 터져 나오지 않고–눈으로 흘러내렸다. 눈물을 참으려고 했지만 한번 터져버린 눈물은 멈추지 않았다. 계속 흘러나오는 눈물을 참지도 닦지도 않고 그냥 내버려 두었다. 그렇게 한

참 울었다.

한없이 울고 나니 1년 동안 내가 나만 생각하는 이기적인 사람이었다는 생각이 들었다. 쓰레기 같은 나를 '엄마'라고 온 마음으로 믿고 의지하는 아이들에게 미안한 마음이 들었다. 더는 이렇게 살면 안 되겠다고 생각했다. 어떻게 달라져야 할까? 고민하다가 노트에 '다시 잘살아 보자'라는 문장을 쓰고 내가 해야 할 일과 하지 말아야 할 일을 적어 내려갔다. 대학 이후 정말 오랜만에 연필로 글을 썼다. 새벽이라 그랬을까? 나만 있는 조용한 거실에 '사각사각' 연필 소리만 들렸다. 그 소리는 내게 '잘하고 있어. 그래 그렇게 써봐'라고 위로해 주는 것 같았다. 그때 나는 홀로 있었지만 내 안에 움츠리고 있던 진짜 나를 만난 것 같아 전혀 외롭지 않았다. 하얀 종이 위에 쓴 검은 글자들이 나를 포근하게 감싸주는 느낌이 들었다. 사람과 접촉을 한 것도 아니고 대화를 한 것도 아닌데 글을 쓴다는 행위만으로도 위로받을 수 있다는 사실이 그저 신기하기만 했다.

학창 시절 독서는 지루했고 글쓰기는 귀찮았다. 학교 백일장에서 글 대신 그림을 그렸고 일기 쓰기 숙제는 '참 재미있다.' '참 맛있다.' '참 좋았다.' 같은 '참참참'으로 이루어진 문장으로 도배했다. 그랬던 내가 창밖으로 해가 뜨는 줄도 모르고 글을 계속 써나갔다. 답답함이 뭉쳐 굳어버린 마음이 눈물이 되어 흘러내리는 것처럼 내 손에서 글이 마구 흘러내렸다.

글의 내용은 중요하지 않았다. 쓰고 쓸수록 1년 동안 내 안에 있던 모든 감정이 배출되는 것 같았다. 나는 묘하게 마음이 평온해졌다. 그날 이후 매일 새벽 4시에 일어나 생각나는 대로 그냥 마구 쓰기 시작했다. 원망스러운 사람들의 리스트를 만들어 저주하는 글을 쓰기도 하고 타국에 계시는 부모님께 붙일 수 없는 편지를 쓰기도 했다. 특히 쌍욕을 곁들여 쓰는 남편 험담 글은 체 했을 때 활명수를 마시는 것 같은 시원함을 느꼈다. 정말 말도 안 되는 내용이지만 뭐라도 쓰고 나면 마음이 편해졌고 계속 글이 쓰고 싶어졌다. 그렇게 계속 글이 쓰고 싶었던 이유는 아픈 내 마음이 글쓰기를 통해 '치유'되어가고 있기 때문인 것 같았다. 내가 글쓰기를 통해 치유되고 있다니 전혀 상상하지 못한 일이었다.

사는 동안 암흑기가 또 찾아올지도 모른다. 하지만

나는 예전처럼 쉽게 무너지지 않을 것이다. 나에겐 술보다 중독성은 강하지만 끊을 필요가 없는 최강 치유 아이템 '글쓰기'라는 비장의 무기가 생겼으니 말이다.

떡볶이

매운 음식을 좋아한다. 유치원에 다닐 때부터 하얀 돼지비계를 깍두기 모양으로 숭덩숭덩 썰어 넣고 청양고추를 송송 썰어 넣은 매콤한 김치찌개를 좋아했다. 고추기름을 잔뜩 넣어 볶은 떡볶이는 매일 먹어도 질리지 않았다. 이렇게 매운 음식을 즐겨 먹던 나는 초등학교 입학 후, 학교 근처에서 천국을 발견했다. 그곳은 '꽃방울 분식집'이다. 엄마의 떡볶이보다 천 배, 아니 만 배나 더 맛있는 떡볶이를 매일 먹을 수 있었다. 매일 사 먹는 떡볶이 때문에 용돈이 아주 많이 필요했지만 그래도 나는 너무 행복했다.

꽃방울 분식집은 가게 전면 유리창에서 주방과 홀이 다 보였다. 그곳은 5평이 채 안 되어 보였는데 직사각형 모양의 큰 떡볶이 팬과 어묵탕 냄비만 있었다.

혼자 가게를 운영하시는 주인아줌마는 성인 남성보다 조금 더 커 보이는 체격에 피부색 또한 짙어 어린 내 눈엔 엄청 무섭게 보였다. 주인아줌마에게 말을 거는 것조차 무서웠던 나는 '떡볶이 100원어치요.'라는 말 대신 계산대에 백 원만 올려두고 주인아줌마만 말없이 쳐다봤다. 그러면 주인아줌마는 무표정한 얼굴과 쉰 목소리로 "떡볶이만?"이라고 되묻고 나서 떡볶이를 주시곤 하셨다.

나는 매일 하교할 때 학교 앞 문방구 불량식품의 유혹을 과감히 물리치고 꽃방울 분식으로 직진했다. 꽃방울 분식의 떡볶이는 누런색의 길고 가는 밀가루 떡과 빨간 떡볶이 양념이 전부였다. 여느 분식점과 큰 차이가 없는 것 같지만 떡볶이 국물에 떡을 쓱 묻히면 주르륵 흐르지 않을 정도의 되직한 농도는 꽃방울 분식점이 단연 최고였다. 그리고 또 다른 매력은 떡볶이와 함께 먹는 삶은 달걀이었다. 다른 분식점에서 삶은 달걀을 시키면 주문 후에 달걀 껍데기를 까서 떡볶이에 넣어준다. 그런데 꽃방울 분식은 떡볶이 떡과 삶은 달걀을 함께 넣고 조리했다. 떡볶이 국물에 삶은 달걀이 '종일' 헤엄치다가 내가 먹으러 갈 때쯤엔 부드러운 흰자 부분이 약간 쫀득해지고 노른자는 살짝 멍든 것같이 푸르스름하게 변해있었다. 이런 상태의 달걀은 국물에 으깨 먹을 최고의 타이밍이었다. 꽃방울 분식의 떡볶이와 삶은 달걀은 나에게 완벽한 조합이었다. 나와 언니는 그 맛에 빠져 꽃방울 분식점이 아니더라도 떡볶이를 먹을 때면 무조건 삶은 달걀을 추가했다. 하지만 꽃방울 분식에서 먹었던 삶은 달걀은 그 어디에서도 먹을 수 없었다.

모든 것이 완벽한 것 같던 꽃방울 분식의 단점은 불량한 위생 상태였다. 종종 분식점에서 떡볶이를 먹을 때 바퀴벌레가 나왔다. 덜 닦인 컵과 고춧가루가 묻어 있는 포크를 발견할 때도 있었다. 하지만 그런 것들은 나에게 아무 문제가 되지 않았다. 매일 맛있는 떡볶이를 먹을 수 있다는 것만으로도 충분했다.

엄마가 주시는 용돈으로는 꽃방울 분식의 떡볶이를 매일 먹을 수 없었다. 매일 떡볶이를 사 먹기 위해 돈이 필요했다. 고민한 끝에 스프링 노트에 내가 할 수 있는 집안일들을 적고 금액표를 만들었다. 가족들을 대상으로 아르바이트를 시작한 것이다. 엄마 다리 주무르기 백 원, 엄마 파스 붙여드리기 100원, 언니방 정리 100원 등 가족 맞춤 품목으로 구성된 아르바이트는 목적이 확실하다 보니 용돈은 잘 모였다. 아르바이트해서 모은 돈으로 떡볶이를 매일 먹고도 용돈이 남았다. 덕분에 내가 사랑하는 외할머니에게 할머니의 최애 간식인 '제리뽀'도 자주 사다 드릴 수 있었다.

나는 중학교 때까지 꽃방울 분식점 문턱이 닳도록 다녔다. 그러던 어느 날, 분식점이 문을 닫은 후에 한 달이 넘도록 열지 않았다 한참 뒤 꽃방울 분식점이 있던 건물이 리모델링 공사를 시작했다. 지금 생각해 보면 그 시절 야반도주하는 사람들이 꽤 있었는데 꽃방울 분식 주인아줌마도 그 사람 중 한 분이 아니었을까.

꽃방울 분식점이 사라진 후 나는 우리 동네를 포함해 옆 동네에 유명하다는 코끼리 분식, 미소의 집, 애플하우스로 떡볶이집 원정을 다녔다. 하지만 꽃방울 분식 떡볶이처럼 완벽한 국물 농도와 삶은 달걀의 맛은 찾지 못했다. 성인이 된 나는 아직도 일주일에 2번 이상 떡볶이를 먹기 위해 맛있다고 소문난 가게를 찾아다닌다.

요즘은 전국에서 맛있다는 떡볶이를 쉽게 주문할 수도 있다. 중국 당면, 치즈, 분모자 등 다양한 토핑과 매운 정도도 내 맘대로 정할 수 있는 여러 종류의 떡볶이를 먹을 수 있다. 떡볶이 종류도 많아지고 식당도 많아졌다. 덕분에 나의 떡볶이 사랑은 식을 줄 모르고 지금까지 현재 진행형이다.

만약에 지금 꽃방울 분식점을 찾아 어릴 때 먹었던 떡볶이를 다시 먹을 수 있다면 그 시절에 먹었던 맛 그대로일까? 딱 한 번만이라도 다시 돌아가 맛보고 싶다.

구더기

어린 시절 내 기억에 아빠는 골프 약속이 없는 주말이면 책을 읽으셨다. 아빠는 독서를 좋아하셨지만, 딸들에게는 독서를 강요하지 않았고 만화책을 읽어도 혼낸 적이 없었다. 우리 역시 아빠가 읽는 책에 대해 크게 신경 쓰지 않았다. 그러나 내가 초등학교 3학년 4월쯤 아빠가 읽기 시작한 견지낚시 입문, 견지낚시 명소 등 견지낚시에 관련된 책은 조금 달랐다. 그 책들은 우리 가족에게 새로운 가족 행사를 만들어줬다.

견지낚시 관련 서적이 늘어갈수록 아빠의 주말 골프 약속이 줄어들었다. 그리고 주말마다 엄마와 파리채 같은 견지낚싯대를 들고 어디론가 가셨다. 언제나 그랬듯 부모님은 세 딸에게 같이 가자고 강요하지 않았다. 같이 하자고 하면 하기 싫지만 그렇다고 아무 말하지 않으면 궁금해지는 것이 인간의 본능일까? 아니면 나와 작은언니가 호기심이 많아서일까? 집순이인 큰 언니를 빼고 나와 작은언니는 토요일 새벽 3시가 되면 자발적으로 일어나 세수를 했다. 낚시채비를 하고 나서는 부모님을 따라가려고. 이른 새벽하는 우리 가족의 낚시는 3년 정도 계절과 관계없이 이어졌다. 날이 좋고 별다른 일이 없는 주말이면 강원도와 충청도의 유명하다는 견지 낚시터에 다녔다.

내가 14살 되던 해, 아빠는 견지낚시 최적의 시기와 장소를 찾으셨다. 최적의 시기는 아카시아꽃이 피는 5월이었고, 최고의 장소는 강원도 홍천강이었다. 그때부터 지금까지 견지낚시는 우리 집 연간 행사가 되고 있다. 아빠는 아카시아꽃이 피는 5월이 낚시 시기라고 하셨는데 이유는 잉어와 피라미 등 민물고기들의 산란기이기 때문이라고 하셨다. 추가로 30년 넘는 나의 견지낚시 경험을 바탕으로 유추해 보면 아카시아꽃이 피는 시기는 강물 온도가 적당하고 날씨가 덥지 않다. 그래서 강물에 수초나 이끼가 많지 않고 장마 전이라 물이 맑아 어획량이 높은 것 같다.

우리 집만의 낚시법을 꼽으라고 하면 아빠가 사 오

는 신선한 구더기와 떡밥이다. 아빠는 특별하게 미끼 고르는 방법은 없다고 하셨지만, 아빠가 아닌 다른 사람이 구더기를 사는 해는 어획량이 현저하게 떨어졌다. 신기하게도 아빠가 사 오는 구더기는 언제나 신선했다. 구더기를 '신선하다'라고 표현하는 게 맞는지 모르겠지만 그 구더기들은 쉬지 않고 계속 꿈틀거렸다.

초등학교 6학년 때 일이다. 집순이 큰 언니를 제외하고 어느 주말에 우리 가족은 견지낚시를 다녀왔다. 그런데 낚시하러 다녀온 다음 날부터 갑자기 집에 파리들이 많이 날아다니기 시작했다. 5월이라 파리가 날아다닐 계절도 아니고 설사 파리가 많은 계절이라고 해도 이건 비정상적으로 너무 많았다. 그리고 일반 파리와 비교해 잘 날지 못해서 어린 내가 손뼉을 쳐서 잡을 수 있는 정도였다. 엄마는 잡아도 잡아도 계속 날아다니는 파리들 때문에 더 자주 청소하시고 쓰레기통을 비웠지만, 파리는 줄어들지 않았다. 그럴수록 엄마는 더 집요하게 파리의 출현지를 추적하셨고 드디어 그곳을 찾으셨다. 바로 거실 피아노 옆 창고로 견지낚시 장비가 있던 곳이었다. 엄마는 창고에서 낚시 장비 가방을 꺼냈다. 엄마가 장비 가방의 지퍼를 열자마자 미쳐 가방에서 빠져나오지 못한 어린 파리들과 죽어있는 구더기들이 있었다. 그 가방 속이 파리들의 출생지였다. 낚시 장비 가방을 두었던 창고는 직사광선이 없고 고온다습했으며 낚시 후 미처 버리지 못한 떡밥은 구더기들이 충분히 섭취할 만큼 넉넉했다. 그야말로 구더기가 파리로 변신할 수 있었던 최상의 환경조건이었다. 보통 낚시용 구더기들은 낚싯바늘이 몸통을 통과하는 아픔을 겪고 낯선 물속에 빠져 허우적대다 물고기 밥이 되거나 익사한다. 하지만 우리 집에서 파리로 탄생한 구더기들은 낚시용으로 사용되지 않은 탓에 짧은 시간이나마 날개 달린 파리가 되어 행복하게 날아다녔을 것이다.

엄마는 창고 속 낚시 장비를 포함한 모든 짐을 꺼내 청소했다. 나와 작은 언니는 엄마와 함께 낚시 장비를 닦는 동안, 구더기가 파리 새끼가 된 것이 너무 신기해했고, 큰 언니는 징그럽다고 기겁하며 파리가 다 없어질 때까지 2층 자기 방에서 나오지 않았다. 물고기의 미끼는 낚시 가기 전날 사고 다음 날 종일 낚시를 한다. 이렇게 종일 낚시를 하면 해가 질 무렵에는 팔팔했던 구더기들은 말라 죽거나 움직임이 둔해지기 마련이다. 하지만 우리 집에서 파리로 탄생한 구더기들은 일반적인 규칙을 깨고 살아남은 것이다. 그건 아마도 아빠가 사 온 구더기가 그만큼 싱싱했기 때문이었던 것 같다.

2015년, 아빠가 이민 가신 뒤에도 나는 매해 견지낚시를 하러 간다. 아빠가 구매한 낚시 가게에서 미끼를 구매하고 있지만 한 번도 구더기가 파리로 변신하는 일은 없었다. 혹시나 하는 마음에 다른 가게에서 나름 통통하게 생긴 구더기를 샀지만, 그것도 영 신통치 않았다.

1cm도 안 되는 하얀 구더기. 소름 끼치는 벌레다. 대부분 사람은 보는 것조차 징그럽게 여기는 구더기다. 하지만 나에게는 부적이 되어 매해 많은 고기를 잡을 수 있도록 도와줄 것 같은 구더기. 아빠와 함께했던 추억을 떠올리게 하는 구더기로 소중한 친구 같다.

코로나 19로 한동안 한국에 오시지 못한 아빠가 내년에는 오실 예정이다. 아빠에게 무조건 아카시아꽃이 피는 5월에 오시라고 했다. 돌아오는 5월, 아빠만의 신선한 구더기 구매 노하우를 배우고 싶다. 늦은 가을비로 쌀쌀한 날씨지만 아빠와 함께할 내년 5월 견지낚시를 생각하니 어디선가 아카시아꽃 향기가 나는 것 같다.

주방 가위

2021년 여름휴가 때의 일이다. 총 열여덟 명의 가족이 함께 여행을 갔다. 꼼꼼하게 챙긴다고 했지만, 조리도구 상자를 빠트리고 말았다. 그 안에는 집게, 국자, 주걱, 수저, 젓가락 그리고 주방 가위가 들어있었다. 가장 중요한 조리도구 상자를 깜빡하다니! 이건 병사가 전쟁터에 무기를 들지 않고 나간 것이나 다름없었다. 물론 숙소에 비치된 주방 도구들이 있어서 사용하면 되었지만 아무래도 손에 익숙하지 않은 도구는 불편하기 마련이다. 무엇보다 종이조차 잘리지 않는 숙소의 주방 가위는 도저히 사용할 수 없었다.

우리 가족 여행의 즐거움은 먹는 것이 80 프로 이상을 차지한다. 먹는다는 행위는 음식의 재료, 요리 방법 그리고 도구, 이 삼박자가 잘 맞아야 한다. 삼박자

중 하나인 도구를 깜빡하다니, 생각할수록 나 자신이 원망스러웠다. 원망해봤자 달라질 것은 없었다. 주방 가위 대신 챙겨온 칼을 사용하기로 했다. 그런데 이게 웬일인가. 주방 가위가 없으니 불편한 점이 한둘이 아니었다. 집에서 가져온 포기김치를 썰 때마다 국물이 줄줄 흘렀고, 불판 위에 삼겹살을 구워 자를 때마다 잘리지 않아서 고기를 기다리는 사람들에게 한소리씩 들어야 했다. 무엇보다 가장 힘든 점은 3살, 5살, 7살 어린이들의 식사 시간이었다.

"엄마, 커서 못 먹겠어요"

"고모, 고기 좀 잘라주세요."

"엄마, 이것 좀 까주세요."

세 아이는 쉴 틈 없이 엄마, 고모, 이모, 언니를 마구 불러댔다. 칼로는 그들의 요구 속도를 따라잡을 수가 없었다. 그렇게 주방 가위 없이 전쟁 같은 하루 세끼가 지나갔다. 나는 도저히 남은 3일 동안 주방 가위 없이 보낼 자신이 없었다. 후발로 휴가지에 오는 사촌 동생 남편에게 주방 가위 3개를 사 오라고 했다. 다음 날 자정이 넘어 도착한 제부는 15cm 정도 길이의 긴 주방 가위 하나, 9cm 정도의 검정 손잡이가 달린 짧은 주방 가위 2개를 사 왔다. 평소였다면 아주 평범한 주방 가위였을 테지만 그 순간만은 세계에서 유명한 주방 브랜드의 가위보다 더 고급스럽고 멋져 보였다. 식사 시간 때마다 들렸던 아이들의 아우성은 새 가위 덕분에 더는 들리지 않았고, 고기를 구울 때마다 투덜거리던 남편의 목소리도 들리지 않았다. 멋진 주방 가위들은 우리의 휴가를 평화롭게 만들어줬다.

평소에 존재조차 인식하지 못했던 작은 도구가 휴가 때 이렇게 큰 비중을 차지할 줄 몰랐다. 생각해 보면 부엌일을 할 때 주방 가위가 쓰이지 않는 곳이 없다. 오늘 아침에만 해도 아이들에게 토르티야 피자를 만들어 나누어주는데 이탈리아 음식점처럼 우아하게 칼로 자르는 대신 가위로 싹둑싹둑 치즈를 잘랐다. 쭉쭉 늘어져 잘 끊어지지 않는 모차렐라 치즈는 가위로 자르는 게 최고다.

외국 사람들은 우리나라 사람들이 음식을 자를 때 가위로 자르는 것을 보고 이상하게 생각한다고 한다. 미술 시간이나 작업장에서 쓰는 도구를 음식 자를 때 사용하니 그들에게 낯설기도 할 것 같다. 외국인들이 생각하지 못한 가위의 쓸모를 한국인들은 거침없이 사용하고 있는데 말이다. 나는 이런 점을 한국인의 융통성, 독창성, 열린 사고, 한국인의 지혜라고 표현하고 싶다.

주방 가위, 이전에는 관심이 없어 궁금하지 않았는데 소중하다고 생각하니 이런저런 질문들이 떠오른다.

'가위로 음식을 최초로 자른 나라가 우리나라일까?'

'만약 우리나라였다면, 왜 이 편한 주방 가위를 다른 나라에서는 사용하지 않았을까?'

'호텔 주방장들도 주방에서 가위를 사용할까?'

'주방에서 가위를 사용하지 않는다면 프라이팬에 삼겹살을 구울 때 칼로 잘라야 하는데, 그렇다면 프라이팬 코팅이 다 벗겨져 프라이팬이 망가질까?'

'라면 끓일 때 파를 썰기 위해 도마를 꺼내고 칼로 썰어야 한다면 설거짓거리가 많아져 사람들이 귀찮아하면서 라면에 파를 안 넣어 먹을 확률이 높아질까?'

'가위를 사용하지 못한다면 유아들이 고기 먹을 때 너무 커서 잘라 달라고 할 때 위험한 칼을 꺼내 잘라줘야 할까? 아님 비위생적이지만 엄마 입으로 베어

줘야 할까?'

주방 가위 덕분에 엉뚱하지만 재미있는 생각들이 머릿속을 가득 메웠다. 이런저런 생각을 하고 나니 매일 주방에서 헌신하면서도 자신의 존재를 드러내지 않는 주방 가위라는 존재에게 미안함과 감사함이 동시에 느껴졌다. 우리 삶에서 주방 가위 같은 존재들이 얼마나 많을까? 문득, 마땅히 정당한 대우를 받아야 하는 모든 존재에게 고마운 마음을 전하고 싶다.

오늘 저녁 메뉴는 육전과 쫄면이다. 길고 쫄깃한 쫄면을 잘라 달라는 아이도 있을 것이고, 육전이 크다고 잘라 달라는 아이도 있을 것이다. 그 순간이 바로 주방 가위를 꺼낼 타이밍이다. 음식 자르는 데 능숙하고 고마운 주방 가위를 말이다.

무모한 나, 삶이 즐겁다

어려서 친구들과 고무줄놀이할 때, 뛰는 것이 싫어서 고무줄 잡고 돌리는 술래를 선택했다. 중학교 1학년 때는 집 근처 테니스장에 잘생긴 코치가 있어서 개인지도를 받기도 했지만, 공 줍는 것이 힘들어서 그만뒀다. 그 뒤로 중고등학교에 다니던 시절 내내 오래 매달리기 0초, 윗몸 일으키기 10개, 100m 달리기 25초 등 체력장 하위 등급을 맞을 정도로 '운동'에는 소질도 없었고 관심을 가지지도 않았다.

꾸준히 숨쉬기 운동만 하던 내가 둘째 쌍둥이 출산 후, 목 디스크와 오십견을 치료하고자 필라테스를 배우기 시작했다. 1년 동안 필라테스 개인지도를 받았지만 매 수업이 첫날 같았다. 필라테스 강사는 마치 녹음한 것처럼 "회원님, 어깨에 힘 빼시고, 갈비뼈는

쪼이세요."라는 말을 반복했다. 좀처럼 늘지 않는 나의 필라테스 실력에 속이 상했고 잔소리 같은 강사의 말에 짜증이 났다. 나는 결국 수강 1년 만에 필라테스를 그만뒀다. 다시 숨쉬기 운동으로 돌아갔다.

내향적인 성격인 나는 쌍둥이를 출산한 후 조리원에서 식사 시간을 제외한 모든 시간을 내방 안에서 지냈다. 첫 출산이 아니었는데도 모르는 사람들 사이에서 아이 젖을 먹이고 내 이야기를 하는 것은 너무 힘든 일이었다. 나는 산후조리원에 있는 2주 동안 책이나 읽어야겠다는 마음으로 교보문고 사이트에 들어가 베스트셀러 중 그나마 이름을 알고 있었던 무라카미 하루키 작가의 1Q84 세 권을 구매했다. 1편부터 3편까지 총 3권으로 이루어진 1Q84는 내용도 어렵고 길었지만 나는 뭐에 홀린 듯 밤을 새워 읽었다. 1Q84 완독 이후, 무라카미 하루키라는 작가가 좋아졌다. 그 뒤로 무작정 그의 다른 작품들을 읽었다. 그의 작품을 10%도 이해하지 못한 것 같았다. 하지만 그의 작품을 읽다 보니 그의 생활이 궁금해졌고 그의 생각도 궁금해졌다. 또 막연하게 그처럼 소설가가 되면 좋겠다는 꿈도 생겼다.

글쓰는 사람이 되고 싶다고 하자 남편은 내가 뜬금없고 즉흥적인 사람이라고 한다. 맞는 말이다. 나는 어릴 적 일기 쓰기, 독후감 쓰기 등 모든 글 쓰는 행위가 싫었다. 대학 시절 A4용지 5장을 써야 하는 숙제에는 표지 한 장, 목차 한 장, 그리고 글씨 크기는 한글 문서 기준 16 폰트로 써서 제출할 정도였다. 그런 내가 무라카미 하루키 때문에 작가가 되고 싶다니, 실로 놀랄만한 일이 아닐 수 없다. 하지만 작가가 되고 싶다는 꿈을 키우면서 글쓰기보다는 무라카미 하루키 작가의 생활 루틴을 따라 하기 시작했다. 그의 루틴을 따라 하면 하루키 작가처럼 글을 잘 쓸 수 있을 것만 같았다.

이런 생각은 나를 달리게 했고 무라카미 하루키 작가가 참가했던 보스턴 마라톤 출전이 내 목표가 되었다. 100m 달리기 25초, 1,500m 오래달리기를 기권했던 내가 보스턴 마라톤 출전이라니 이건 정말 엉뚱한 생각이었다.

2020년 3월 초 새벽, 잠이 오지 않아 회색 운동 바지를 입고 탄천으로 나갔다. 무식하면 용감하다 했던가. 무작정 나이키 러닝 앱을 내려받고 시작 버튼을 눌렀다. '운동을 시작합니다'라는 소리와 함께 나는 뛰기 시작했다. 5분 정도 지났을까? 숨이 차서 호흡하기 곤란했고 폐와 배가 아팠다. 몸은 벽돌 100개 정도를 지고 있는 것처럼 무거웠다. 더는 달릴 수가 없었다. 바로 달리기를 멈추고 거친 숨을 몰아쉬며 러닝 앱을 확인했다.

'시간 3분, 거리 400m' 오늘은 준비가 너무 없었다며 나를 위로했다. 그 뒤로 계속 달리면 나아지겠지 하는 마음으로 일주일을 매일 달렸다. 달릴수록 실력은 늘지 않고 더 심하게 숨을 헐떡거렸고 힘들었다. 작가가 되려면 글을 써야지. 글은 안 쓰고 운동하느라 새벽마다 잠을 설치면서 달리겠다고 요란 떠는 내 모습이 한심해 보였다. 이런 생각이 들자 하루키처럼 작가가 되는 것도 달리는 것도 그만두기로 했다. 쉽게 결심한 일이라 쉽게 포기할 수 있었다. 마치 유명한 보험 광고처럼 묻지도 따지지도 않고 나의 무모함은 빠른 포기라는 결과를 낳았다.

다른 운동은 하다 그만두면 더는 생각이 나지 않았는데 달리기는 조금 달랐다. 달리기할 때는 '못하겠다.' '재미없다.' '그냥 싫다.' '왜 쓸데없이 피곤하게 달려'라는 생각을 했었는데 막상 그만두니 자꾸 달리기가 생각났다. '다시 뛰어볼까'라는 생각을 하는 내가 너무 낯설었지만 하고 싶은 것이 있으면 시작하는 무모한 성격이라 한 번 더 달려보기로 했다. 이번에는 처음과 다르게 러닝 유튜브 영상도 찾아보고 나보다 2년 먼저 달리기를 시작한 남편에게 조언을 구했다. 사실 하나를 물으면 열 가지 대답을 하는 남편의 투 머치 토크 성향 때문에 피곤했지만 제대로 달리기 위해서 피곤함을 견뎠다. 남편의 노하우를 듣고 따라하다 보니 그 어떤 영상보다 도움이 되었다.

1km도 완주하지 못했던 나는 3km, 4km, 5km를 달리게 되었고 조금씩 달리는 거리가 늘어났다. 조금만 뛰어도 숨이 차서 가슴이 벌렁거리고 앞이 깜깜했던 내 시야에 주변 풍경이 들어오기 시작했다. 달리면서 주변을 둘러볼 수 있었고 조금씩 내 모습을 들여다볼 수 있었다. 달리기를 통해 생각지도 못한 명상의 시간을 경험하게 되었다. 지금도 무라카미 하루키처럼 달리지는 못하지만, 그처럼 뛰어볼까 하는 용기가 생겼고 그 덕분에 삶이 즐거워졌다. 만약 달리는 것이 이렇게 힘들다는 것을 미리 알았다면, 아무

리 무라카미 하루키가 좋다고 해도 시작하지 않았을 것이다. 하지만 힘들다는 것을 알기 전에 달리기의 맛을 볼 수 있었기에 나는 지금도 달리고 있다. 무모한 성격 때문에 실패도 많이 했지만 앞도 뒤도 재지 않고 도전했기에 용기를 얻게 되었다. 이러한 과정을 통해 실패는 두려운 것이 아니라 그것을 통해 더 많은 것을 얻는다는 것을 깨닫는다.

10km 대회에 2번 참가한 경력자가 되어 또다시 무모하게 남편을 따라 오는 10월! 하프 코스 마라톤을 신청했다. '한번 도전해 보자'라는 마음이 있었고, 10km 코스와 같은 참가비를 내지만 하프 코스가 증정 선물이 더 좋다는 것도 신청 이유 중 하나였다. 10km의 두 배 이상 거리는 단 한 번도 뛰어본 적 없지만, 나의 무모함과 물욕 덕분에 도전할 용기가 생겼다. 2022년 10월 하프 코스 완주를 위해 알람을 설정했다. 그렇지만 연습을 앞두고 매일 아침 따뜻한 이불 속에서 나 자신과 싸움 중이다.

달리기를 통해 무모함이 도전이라는 용기를 낳았고 내 삶을 즐겁고 풍요롭게 만들어주었다. 이 깨달음이 내 삶의 모든 부분에 적용되면 좋겠다. 특히 무라카미 하루키 작가처럼 쓰는 사람이 되고 싶은 꿈을 이루기 위해 나는 계속 도전할 것이다.

"나는 예전처럼 쉽게 무너지지 않을 것이다. 나에겐 술보다 중독성은 강하지만 끊을 필요가 없는 최강 치유 아이템 '글쓰기'라는 비장의 무기가 생겼으니 말이다."

-신주희-

"달리기를 통해 무모함이 도전이라는 용기를 낳았고 내 삶을 즐겁고 풍요롭게 만들어 주었다. 이 깨달음이 내 삶의 모든 부분에 적용되면 좋겠다."

-신주희-

"사람과 접촉을 한 것도 아니고 대화를 한 것도 아닌데 글을 쓴다는 행위만으로도 위로 받을 수 있다는 사실이 그저 신기하기만 했다."

-신주희-

Chap. 6

오늘도 하비로 살아갑니다

이명희

대한민국에서 하비(하체 비만)라는 이기적인 유전자로 살아가고 있다. 튼실한 허벅지와 울퉁불퉁한 코끼리 다리로 살아가는 것이 힘들지만, 조금씩 현실을 받아들이며 글을 쓰고 있다. 1인 브랜드 '남다른 그림책 대표', 한국북큐레이터협회 강사, 브런치 작가로 활동하고 있다. 공저 <내 맘대로 다섯 그릇>을 출간했다.

오늘도 하비(하체 비만)로 살아갑니다

친밀한 사이

하늘도 허락한 먹방

미션 임파서블

오늘도 저장

으윽, 좀 들어가라고

하체비만 탈출 시도는 줌바 댄스로

오늘도 달린다

친밀한 사이

오늘도 어김없이 친밀한 사이를 자랑하며 떨어지지 않는다. 밥풀로도, 딱풀로도, 접착제로도 붙이지 않았는데 둘은 이별하기 싫어하는 연인처럼 붙어 있다. 거울 속에 드러난 내 튼실하고 친밀한 허벅지 때문에 우울하다.

하체 비만!

허벅지와 다리를 볼 때면 한숨이 나온다. 누워서 다리를 머리 위로 올리고 흔들면 다리 살이 출렁거린다. 잔잔한 파도가 끊임없이 밀려오듯이 나를 조롱한다. 사람들은 나이가 들어갈수록 허벅지와 종아리가 가늘어진다고 말하지만 나에게 그런 일은 생기지 않는다.

튼실한 허벅지 덕분에 예쁜 바지를 입지 못한다. 허

리에 맞춰 옷을 입으면 허벅지가 안 들어가고 허벅지에 맞춰 옷을 입으면 허리가 맞지 않으니 말이다. 나와 반대로 남편은 어떤 옷이든 몸에 잘 맞는다. 그야말로 핏이 살아나는 몸매를 가지고 있다. 매장에 가면 남편은 당당하게 자신의 사이즈를 말하며 옷 입는 것을 즐기지만, 난 초라하게 그런 남편을 부럽게 쳐다볼 뿐이다. 다행히 우리 아이들은 내 몸매를 닮지 않고 남편의 유전자를 물려받아 고민하지 않아도 되니 얼마나 다행인가. 내가 임신했을 때 여동생이 늘 우리 집(외가)의 튼실한 허벅지만 닮지 말아 달라고 주문을 외운 덕분인지 딸들은 날씬하고 긴 하체로 옷 살 때 불편함이 없다.

허벅지가 너무 굵다 보면 불편한 점이 있다. 걸을 때마다 허벅지 안쪽이 서로 부딪혀 마찰이 일어나다 보니 다른 사람보다 바지 안쪽이 쉽게 해진다. 다른 곳은 멀쩡한데 허벅지 안쪽 부분만 해지다 보니 바지를 오래 입지 못한다.

얼마 전, 아빠 제삿날에 남동생의 친밀한 허벅지 사이 때문에 큰 웃음이 터졌다. 우리 세 남매는 모두 허벅지가 굵고 튼실하다. 딱 맞는 옷보다 조금 헐렁한 옷을 좋아하는데 남동생의 허벅지가 갈수록 굵어져 기성복은 입을 수 없게 되었다. 그러니 바지를 맞춰주느라 올케가 늘 고생한다. 얼마 전 맞춘 양복을 입고 제사를 지내는데 남동생이 다급하게 올케를 불렀다. 다급히 부른 이유를 알게 된 우리는 웃음이 터져버려서 엄숙한 제사 분위기를 이어가지 못했다. 남동생이 절을 하려는 순간 뭔가 '툭'하고 소리가 났는데, 그 소리는 옷이 터지는 소리였다. 조카는 자기 아빠를 보며 실실 웃기 시작했고 웃음은 남편과 엄마에게까지 전파되었다. 한바탕의 소동으로 잠시 제사가 멈췄지만, 올케는 웃지 못했다. 맞춤옷을 한 지가 며칠 되지 않았는데 터졌다며 서운한 감정을 토로했다. 그 속상한 마음을 잘 아는 나는 올케 등을 두드리는 것 외에 어떤 말도 할 수 없었다. 그렇게 웃음을 던져준 남동생은 하체 비만 유전에 승복하며 제사를 마무리했다.

허벅지가 굵으면 또 다른 불편한 점이 있다. 다리가 길거나 날씬한 하체를 소유한 사람만이 가능한 '다리 꼬기'를 하지 못한다. 다리 꼬는 습관은 혈액순환 방해로 몸에 좋지 않다고 의사들이 말하지만, 허벅지가 굵은 나는 꼭 한번 해보고 싶은 선망의 자세이다. 다리가 길고 마른 연예인들이 다리 하나를 반대편 다리 위에 포개는 모습은 우아한 학처럼 보여서 넋을 잃고 하염없이 바라본다. 시원스러우면서도 자연스럽게 다리 꼰 모습은 부럽기만 하다. 멋져 보이고 싶고 나도 할 수 있을 것 같아 따라 해보지만, 다리를 꼬려고 하면 온몸을 뒤틀어야 겨우 자세가 나온다. 자세를 잡는다고 해도 이내 불편해져 다리가 금방 풀어져 버린다. 힘들게 꼰 다리는 내 생각만큼 참을성이 없다.

사람 관계나 친밀한 허벅지나 너무 가까우면 불편해지니 적당한 거리를 두는 것이 좋을 것 같다. 그런데 사람 사이의 적당한 거리 두기는 노력하면 가능해지겠지만 친밀한 허벅지 사이의 거리 두기는 칼 세이건의 『코스모스』 책처럼 어렵기만 하다.

'내 허벅지야~ 이제 좀 그만 떨어져 있으면 안 되겠니?' 오늘도 난 튼실한 허벅지에 잔소리하며 열심히 허벅지를 흔들고 있다.

하늘도 허락한 먹방

우울하거나 스트레스가 쌓였을 때 기분을 푸는 방법에는 여러 가지가 있다. 잠을 자거나 노래를 크게 따라 부르거나 온몸을 리듬에 맡겨 춤추거나 여행, 만화책 보기, 멍때리기 등등. 다양한 방법 중 나에게 가장 쉬운 방법은 맛있는 음식을 먹는 것이다. 메뉴도 다양하고, 손쉽게 먹을 수 있으며 장소 또한 구애받지 않기 때문에 큰 고민 없이 우울함을 해결할 수 있다. 다이어트하는 사람에게는 달콤한 유혹이지만 스트레스 풀기에 먹방 만큼 좋은 방법은 없다고 생각한다.

태어나서 유일하게 스트레스받지 않고 먹을 수 있었던 때가 있다. 오직 여성만이 누릴 수 있는 기회로 365일 고민하지 않고 먹는다. 많이 먹는 것에 대해 죄책감이 덜한, 하늘도 허락한 먹방 시간이 있다. 몸은 좀 힘들지만 열 달 동안 마음 놓고 먹을 수 있는 절호의 찬스! 먹는 양도 무시, 시간도 무시, 그저 즐겁게 먹을 수 있었던 이 기막힌 기회는 임신 기간이었다.

친정엄마는 우리 세 남매를 가졌을 때 모두 입덧이 심해서 출산할 때까지 음식을 제대로 먹지 못했다고 하는데 나는 입덧이 전혀 없었다. 임신 5개월부터 식욕이 왕성해지더니 아이 핑계로 부담 없이 음식 즐기기에 바빴다. 그렇다고 모든 음식을 다 먹을 수 있는 것은 아니었다. 매운 음식이나 인스턴트 음식, 그리고 닭고기 음식은 아이 피부 때문에 가능한 먹지 않으려고 노력했고, 카페인이 첨가된 커피는 마시지 못했다. '첫' 아이라는 이유로 아이한테 피해를 줄 것 같은 음식은 더 조심스러웠다. 임신하면 평소에 안 먹던 음식이 당긴다고 하던데 내 경우에는 탕수육, 잡채, 멜론, 아이스크림, 햄버거가 유달리 먹고 싶었다.

아이스크림은 찬 음식이라 조심스럽게 먹어야 했고 햄버거는 인스턴트 대표 식품이라 되도록 먹지 않으려고 노력했다. 그러나 출산이 가까워지면서 햄버거가 너무 먹고 싶었다. 특히 다른 햄버거는 안 되고 오직 버** 햄버거만 먹고 싶었다. 불행히도 이 햄버거를 파는 곳은 우리 동네에 없었다. 그때만 해도 버** 햄버거 매장이 많지 않아서 집에서 자동차로 약 40분 거리에 있는 시내로 나가야 했다. 평소에 사람 많은 곳을 가기 싫어하는 남편에게 햄버거가 먹고 싶다고 말했다. 남편은 임신한 아내를 위해 햄버거를 사러 가긴 했지만, 표정은 밝지 않았다. 평일 낮임에도 불구하고 차가 붐비기 시작했다. 신호등에 초록색 불이 들어왔지만 차는 움직일 생각을 하지 않았다. 복잡한 교통상황이 되자 남편의 얼굴이 점점 굳어졌다. 남편의 그런 얼굴을 보는 것이 불편했지만 오직 햄버거 먹을 생각으로 소심한 콧노래를 부르며 창밖거리에 집중했다.

매장이 가까워지자 내 표정은 밝아졌고 흥분되었다. 남편이 주차할 동안 종종걸음으로 매장 안으로 들어갔다. 익숙하지 않은 매장 냄새로 불쾌했지만, 메뉴판을 보는 순간 자연스럽게 입꼬리는 올라가고 눈동자는 커지면서 머릿속에서는 무엇을 먹을지 뇌가 빠르게 움직였다. 내가 선택한 햄버거는 두툼한 패티에

노란 치즈, 신선한 채소가 들어간 콰트르치즈와퍼 버거였다. 복잡한 주차 때문에 남편은 매장에 들어오지 못했다. 매장의 역겨운 냄새로 햄버거를 받자마자 남편 차로 향했고 안도의 한숨을 내쉬었다. 차 안에서는 햄버거 특유의 고기 냄새가 진동하기 시작했고 내 코는 참지 못해 벌렁거렸다. 당장 먹고 싶은 마음을 다스리기 위해 믿지 않는 부처님, 하느님 외에도 내가 알고 있는 모든 신은 다 부르며 겨우 참았다.

엘리베이터를 타고 현관문 앞에 도착한 순간, 플래시 맨처럼 후다닥 먹을 준비를 하며 빠르게 뛰고 있는 심장을 깊은숨으로 진정시켰다. 최고의 만찬처럼 정성스럽고 빠르게 준비를 마친 후 거추장스러운 햄버거 포장지를 뜯었다. 부드러운 빵 위에 두툼하며 육즙이 풍부한 고기 패티를 본 순간, 꼴깍 침을 삼켰다. 쭉 늘어나는 노란 치즈에 얌전히 앉아있는 붉은색 토마토 한 조각, 다시 그 위에 하얀 피부를 자랑하는 양파와 싱싱한 양상추, 그리고 이 모든 것을 품고 있는 빵까지 모두가 완벽했다. 좌우로 위아래로 입을 크게 벌린 후 공손하게 두 손으로 햄버거를 집었다. 먹음직스러운 햄버거는 나의 욕구를 만족시키기 위해 입속으로 직진했다. 한 입 베어 무는 순간, 입안에 퍼지는 햄버거의 맛은 흥분하기에 충분했다. 아이를 위한다는 명목으로 신나고 즐겁게 먹었던 먹방은 입맛 없는 날이 거의 없었던 나에게 축복의 시간이었다.

미션 임파서블

우리 아이들이 초등학교에 입학하면서 구청에서 진행하는 교육 사업에 참여했다. 아이들이 학교에 있는 시간 동안 집에서 보내는 시간이 아까워 동료 강사가 제안한 사업에 선뜻 참여 의사를 밝혔다. 내가 하는 일은 유치원에서 환경 수업을 인형극으로 보여주는 것이었다. 유치원에서 수업을 마치고 나면 구청에 제출해야 할 증거 사진으로 유치원 선생님에게 사진 촬영을 부탁했다. 선생님이 찍어준 수많은 사진 중에서 제일 괜찮은 사진으로 첨부했는데 이때 빠지지 않는 과정이 있었다. 조금이라도 날씬하고 길게 나온 사진을 만들기 위해 보정 작업을 하는 것이었다. 이 과정은 동료 선생님이나 나에게 선택이 아닌 필수였다.

어느 날, 수정 전 사진을 보며 한숨을 쉬는데 수업

을 함께하는 동료 선생님이 솔깃한 이야기를 건넸다. 최근에 체중 최고점을 찍고 있지 않았냐며 자신도 역시 부쩍 찐 살로 고민하다 어느 건강제품 도움을 받아 관리 중인데 좋은 것 같다고 했다. 안 그래도 몸이 점점 무거워지고 거울 보기가 두려워졌기 때문에 호기심이 생겼다. 무엇보다 함께 일하는 동료 선생님의 달라진 모습을 보며 무척 궁금했다. 그녀는 자신이 어떻게 이 제품을 소개받았고 어떤 방법으로 살이 빠지고 있는지 증거 사진을 보여주며 솔직하게 말했다. 나는 귀를 쫑긋 세우며 그녀의 말을 들었고 살이 빠지는 비결이 궁금했다.

그녀가 먹고 있는 제품 회사는 합법적인 네트워크 마케팅 회사로 건강제품을 판매한다고 했다. 또 의사, 약사, 간호사, 물리치료사 등이 이 제품으로 효과를 보는 중이며 어떤 의사는 자신의 환자에게 이 제품을 건강 보조식으로 복용하게 해서 치료 효과를 톡톡히 보고 있다고 했다. 다른 사람도 아닌 의사라는 말에 알지 못하는 의사였지만 신뢰감이 높아졌다. 또한, 건강제품 성분에 대한 설명까지 듣고 나니 밑져야 본전이라는 생각이 들었다. 그녀는 쉴새 없이 생수통을 꺼내어 250ml에 건강제품 하나를 타서 나에게 건넸다. 거절할 틈도 없이 진한 카키색 액체는 내 목구멍으로 벌컥벌컥 들어갔다. 직접 마셔보니 맛도 나쁘지 않았고 영양제가 필요할 때라 딱 좋은 기회였다. 무엇보다 물에 타서 먹는 방식이라 커피 대신 마시면 좋을 것 같았다. 더운 여름에 얼음을 넣어 흔들어 먹으면 맛도, 영양도 좋으니 금상첨화였다.

당장 사고 싶은 마음이 들었지만, 문제는 비용이었다. 제품은 내가 버는 돈으로 사기에는 부담스러운 금액이었다. 내 수입은 고정적이지 않아 망설여졌고 내가 사고 싶은 것을 사지 못할 정도로 적게 버는 상황이 싫었다. 하지만 이 정도의 투자는 괜찮다는 생각과 날씬해질 내 몸을 상상하면서 건강제품을 사기로 했다. 그녀는 제품 효과를 보려면 3개월은 복용해야 한다고 강조했다. 마치 환웅이 곰과 호랑이에게 동굴에서 쑥과 마늘로 100일을 견뎌내면 인간이 될 수 있다고 말하는 것 같았다. 아이가 병 없이 오래 살기를 기원하는 백일잔치처럼 100일이라는 숫자는 우리나라 사람들에게 무언가를 이루고자 할 때 꼭 필요한 기간인 것처럼 생각되었다. 나는 100일 동안 내

의지와 몸의 변화를 체험하고 싶어 과감하게 제품을 샀다.

제품을 사기 전에 몸 상태를 점검해야 했는데 남 앞에서 몸무게를 공개하려니 뒷덜미가 후끈 달아올랐다. 체중계에 몸이 실리는 순간 주변 사람들의 시선을 의식하며 후다닥 내려왔다. 다행히 근육량과 체지방은 심각하지 않아 몸무게를 줄이는 데 중점 두는 제품을 선택했다. 제품 비용에 대한 문제가 해결되고 나니 또 하나의 난관이 생겼다.

구매한 제품을 집안으로 들이는 과정이었다. 밀수품처럼 몰래 집안으로 안전하게 들이는 과정이 남아있었다. 건강제품은 하나만 복용하는 것이 아니라 아침, 점심, 저녁 먹는 것이 각각 달랐고 살이 빠지면서 채워야 할 필요 영양성분이 들어간 제품이 따로 있었다. 생각보다 많아진 건강제품에 난감했다. 다행히 내 처지를 잘 알았던 동료 선생님은 고민 끝에 나한테 3개월 치 제품을 한 달씩 나누어 주기로 했다.

이제 남은 것은 제품보관 장소였다. 제품을 안전하게 보관하기 위해서 첫째는 제품을 들키지 않게 보관하는 것, 둘째는 주어진 시간에 제품을 들키지 않고 먹는 것, 셋째는 3개월 동안 음식을 조절하며 제품을 잘 챙겨 먹는 것이었다. 간단하면서 어려운 미션이었지만 나에겐 매우 절실했다. 다행히 건강제품들은 남편이 없을 때 무사히 받았는데 제품을 보관할 장소가 문제였다. 좁은 아이들 방에 두자니 남편이 갑자기 들이닥쳐 이게 뭐냐고 따져 물으면 들통날 것 같았고, 구석진 곳에 두자니 내가 못 찾을 것 같았다. 남편 퇴근 시간이 다가오자 마음은 초조해지고 주변을 다시 한번 두리번거렸다. 그때 비밀스러운 공간 하나가 눈에 들어왔다. 제품이 들어갈 크기에 적합했으며 잊지 않고 챙겨 먹을 수 있는 내 전용 서랍이었다.

장소 문제가 해결되니 두 번째 미션이 눈에 들어왔다. 정해진 시간에 먹어야 하는 것도 문제였지만 무엇보다 그 제품을 먹는 동안 금지해야 하는 음식이 많았다. 가족들에게 먹지 않는 이유를 뭐라고 둘러대야 할지 고민이 되었다. 탄수화물, 간편식은 기본적으로 금지였고 우유, 육류, 튀김류, 밀가루 음식도 금지였다. 대신 현미밥, 흰 살 생선, 채소 등은 먹어도 괜찮았고 2 리터 이상의 물은 꼭 마셔야 했다. 신장에 무리가 갈 수 있으니 저녁에는 물을 많이 마시지 말고 되도록 낮에 먹으라고 했다. 고민 끝에 가족들에게는 병원에서 건강이 좋지 않아 살 빼라는 진단을 받았다며 3개월 동안은 내가 먹는 것에 대해 상관하지 말라고 부탁했다. 눈치가 빠른 남편의 날카로운 시선 때문에 순간 뜨끔 했지만 들키지 않고 넘어갔다. 건강제품을 먹는 시간은 기상 후 바로 먹어야 하는 것과 식전 30분 전에 복용해야 했는데 음식을 준비하면서 물 마시러 가는 척하며 재빠르게 먹으면 되는 계획을 세웠다. 세 번째 미션은 달력에 제품 먹은 것을 표시하며 점검하는 것으로 미션 임파서블은 시작되었다.

일주일, 보름, 한 달이 지나면서 몸이 조금씩 변화되기 시작했다. 체중은 크게 변하지 않았지만, 허리에 라인이 생기기 시작했고 운동과 병행하니 몸에도 변화가 왔다. 곰이 사람 되기 위해 100일 동안 참았듯이 나 또한 결혼 전 내 모습으로 돌아가기 위해 참았다. 시간이 지나면서 결혼 전에 입었던 옷이 거짓말처럼 들어갔고 주변에서 살 빠진 비결을 알려달라는 질문에 시달렸다. 덩달아 기분이 좋아진 나는 자신감도 생기며 더 즐겁게 일했다. 터질 것 같았던 옷에 내가 쏙 들어가는 기분은 말로 표현하기에 부족했다.

이런 즐거움과 만족감은 오래 유지되지 않았다. 3개월 동안 제품을 먹고 행복감에 도취 된 나에게 팀장(건강제품 파는 사람)은 지금 몸매를 유지하기 위해서는 건강제품을 계속 먹어야 한다고 말했지만, 가격부담으로 더는 먹지 못했다. 제품을 먹은 뒤 6개월 정도 유지했던 몸은 아주 천천히 이전의 몸으로 돌아오기 시작했다. 제품을 먹지 않으니 먹지 말아야 하는 음식에 손대기가 쉬웠고 그렇게 칼 같았던 내 결심도 흔들리고 말았다. 큰돈을 내고 살을 뺀 만큼 계속 유지되었다면 좋았겠지만, 결과는 좋지 않았다. 아무리 좋은 건강식품일지라도 그것은 시작이고 방아쇠일 뿐 유지하는 것은 오직 내 몫이었다. 나는 결국 결혼 전으로 돌아간 몸매를 계속 유지하지 못하게 되었고, 불어나 버린 몸무게를 잴 때마다 좌절감을 느꼈다. 결국, 나에게 살 빼기는 미션 임파서블이었다.

줌바 댄스

언제부턴가 텔레비전에서 소개하는 운동에 눈길이 갔다. '줌바 댄스'라고 불리는 이 춤은 라틴댄스와 에어로빅을 융합해 만든 창작 춤이었다. 화면에 나오는 줌바 댄스 회원들은 내가 그토록 바라는 땀 흘리는 운동을 신나는 음악에 맞춰 열정적으로 했다. 무엇보다 한 시간에 소비되는 많은 열량이 마음에 들었고 한 시간 동안 쉴새 없이 몸을 움직인다는 점과 땀을 흠뻑 흘릴 수 있다는 점이 매력 있었다. 땀이 잘 나지 않는 나에게는 절호의 기회였다.

그때부터 '줌바 댄스'하는 곳이 어디인지 버스를 탈 때마다, 거리를 걸을 때마다 유심히 살펴보았다. 불행히도 집 근처에는 없었고 집에서 서너 정거장 지난 곳에 있었는데 시간도 가격도 나에게 맞지 않았다.

줌바 댄스를 시작할까 말까 고민하는데 몇 달이 지나갔다. 그러는 사이에 집 근처 체육센터에서 '줌바 댄스'강좌가 처음으로 열린다는 소식을 들었다. 어찌나 좋던지 단숨에 줌바 댄스 교실로 달려가 수업을 등록했다.

줌바 댄스를 시작하던 날, 헐렁한 옷을 입고 운동화를 신은 후 뒷자리로 가서 선생님을 기다렸다. 사람들은 많지 않았지만 낯가림이 있는 나에게는 더 좋았다. 긴 웨이브 머리에 진한 화장, 당당해 보이고 몸매가 무척 예쁘며 카리스마 있는 선생님이 등장했다 시원한 목소리로 자기소개를 한 후 '줌바 댄스'가 무엇인지 설명했다. 내 눈은 선생님에게 고정되었고 말하는 소리를 놓치지 않으려고 귀 기울였다. 선생님은 손으로 발 위치와 동작을 미리 알려 줄 테니 잘 보고 따라 하면 된다고 했다. 특히 반복 동작으로 춤동작이 이루어지므로 스트레스받지 말고 즐거운 마음으로 해보라고 강조했다. 반 박자를 주로 사용하며 라틴음악으로 근력운동과 유산소 운동을 동시에 하므로 다이어트에는 이만한 운동이 없다고 자신 있게 말했다. 강사의 말에 마음이 더 끌렸다. 이 시간 만큼은 평소의 내가 아닌 또 다른 나를 생각하며 음악에 몸을 맡기고 당당하게 자신을 표현하고 싶었다. 강사가 스트레스받지 말고 자신 있게 자신을 표현하면서 실수해도 배우는 과정이니 포기하지 말고 즐기라고 한 말이 나에게 큰 동기부여가 되었다.

줌바 댄스는 살사, 레게톤, 메렝게, 쿰비아라는 리듬 네 가지가 기본 동작인데 어떤 동작이 여기에 해당하는지는 그리 중요하지 않았다. 그저 처음 접하는 리듬이 신기하기만 했고 사용하지 않았던 근육과 새로운 춤동작이 어색하면서도 재미있었다. 무엇보다 몰입감이 최고였다. 당장 따라 하기는 힘들었지만, 재즈댄스를 배울 때와는 또 다른 신세계였다. 스텝이 꼬이고 쓰지 않던 근육을 흔들며 웨이브 하다 보니 동작 하나하나가 개그 자체였다. 거울에 비친 모습이 어찌나 우스운지 어색한 미소를 계속 지었다. 잘 웃지 않는 나에게 선생님은 이 춤은 즐겁게 웃으면서 하는 동작이므로 어색하더라도 웃는 표정으로 해보라고 권했다. 50분이라는 시간이 너무나 짧게 지나가고 몸에는 땀이 송골송골 맺히기 시작했다. 러닝머신으로 흘리지 못한 땀방울이 줌바 댄스로 효과 보고 있었다. 온몸에 땀 흐르는 냄새가 그저 향기로웠다.

하루가 지나고 한 달이 지나면서 조금씩 음악과 춤에 적응하기 시작했다. 가벼워진 몸과 수업 시간에 집중하며 땀 흘리는 내가 살아있다는 느낌이 들어 너무 좋았다. 줌바 댄스가 몸에 서서히 익숙해지면서 줌바 댄스 하는 내 자리에도 변화가 생겼다. 맨 뒷자리에서 앞으로 나갔다. 주위에서 잘한다고 칭찬해주니 기분도 좋아졌다. 잘하는 사람들이 대부분 앞줄에서서 줌바 댄스 동작을 하는데 어느새 내가 그 위치에 올랐다고 생각하니 짜릿했다. 무엇보다 변화된 내 모습을 아낌없이 칭찬해주고 인정해주는 선생님 덕분에 무기력감과 우울증이 날아갔다. 쿵작쿵작 음악을 들으며 스트레스를 날리고 긍정 에너지를 받을 수 있는 시간이 즐거웠다. 이 시간만큼은 나 또한 댄스전문가처럼 생각하며 줌바 댄스에 빠져들었다.

오늘도 저장

줌바 댄스로 신나게 땀 흘리며 몸이 운동에 서서히 적응되어 갈 때쯤 코로나가 터졌다. 뉴스에서 '줌바 댄스' 학원에서 강사가 코로나 확진자인데 수업을 진행했다는 보도가 일파만파 퍼지면서 줌바 댄스 교실에 찬 바람이 불었고 휴강한다는 연락이 왔다. 운동을 시작한 후 살이 조금씩 빠지면서 효과를 보고 있었는데, 코로나가 내 발목을 잡아 땅이 꺼지게 한숨만 푹푹 쉬었다.

시간이 지나면서 몸이 원상 복귀되어 몸무게가 다시 불어나니 불편했다. 코로나에 걸릴까 봐 겁이 나서 집에서 운동하려고 했지만 혼자서 꾸준히 실천하기가 쉽지 않았다. 몸이 무거워지고 귀차니즘에 익숙해질 무렵 다른 곳으로 눈을 돌리기 시작했다. 텔레비전 채널을 돌릴 때마다 얼핏 보았던 홈쇼핑과 다이어트에 관련된 프로그램을 한참씩 보게 되었다. 마케팅 공략이라는 것을 알면서도 혹하는 마음이 생겼고 내 귀는 점점 얇아졌다. 광고하는 제품을 꾸준히 먹으면 내장 지방이 빠지면서 살이 빠진다고 유혹하는 멘트에 서서히 넘어가기 시작했다. 그렇게 건강식품으로 혼쭐이 나고서도 정신을 차리지 못했다. 나이가 들면 운동이나 다이어트도 다르게 해야 하고 건강식품도 함께 먹어야 한다는 말에 텔레비전 앞으로 다가가 방송에 귀를 기울였다.

"지금 물량이 얼마 남지 않았습니다."

매진 완판이라는 문구가 크게 화면을 가득 채우더니 쇼호스트는 격양된 목소리로 지금 구매하지 않으면 다시 구매하기 힘들고, 구매하더라도 한참 기다려야 하며 이 가격으로는 다시 구매하기 힘들다고 나를 유혹했다. 살까 말까 잠시 고민하다가 어느새 유혹에 넘어가 카드 번호를 누르고 있었다. 잠시 후 '결제 완료'라는 문구 대신 '결제 실패'라는 글자가 나를 정신 차리게 했다. 다른 신용카드로 시도할까 생각하다가 이건 하늘의 뜻이라 생각하며 아쉬운 마음으로 채널을 돌렸다. 다른 채널 역시 또 다른 다이어트 상품을 소개하고 있었다. 오늘 다이어트 특집이었던가? 이번에는 운동과 식단 관리로 다이어트에 성공한 사례가 나오면서 탄수화물 섭취를 줄여주고 단백질 성분을 높여준다는 건강식품이었다. 여러 채널에서 다이어트 식품 광고를 보고 있자니 공통점이 눈에 들어왔다. 다이어트 건강식품을 광고할 때 주의 깊게 보니 건강 관련 프로그램에서 방송된 제품들이 각 홈쇼핑 채널에서 다 같이 판매되고 있었다. 일주일 정도 홈쇼핑 건강식품 홍보와 건강 프로그램(살 빼기)을 보면 같은 제품을 홍보하는 것을 알게 된다. 예를 들어 다이어트 프로그램에서 등장하는 주인공이 건강하게 살 뺀 비결 중 하나로 건강식품을 말한다. 그 제품을 먹고 어떤 효과가 있었는지 말하며 복용 방법에 대해서도 알려준다. 그러면 그 프로그램이 끝나는 동시에 각 홈쇼핑 채널마다 그 제품을 홍보하는 것을 볼 수 있다.

홈쇼핑에서만 그런 것은 아니다. SNS에서도 역시 마찬가지다. 한 번이라도 클릭한 정보는 문어발처럼 관련 정보가 쏟아진다. 늘 빠지지 않는 광고가 다이어트 광고다. 거대한 몸을 가진 연예인이 건강제품으로 살을 뺀 다음, 제2의 전성기를 맞이하는 광고가 대부분이었다. 이 모든 것이 과대광고라는 생각이 들지만 나는 오늘도 광고의 유혹을 뿌리치지 못했다. 그렇다고 손쉽게 제품을 사지도 못하기 때문에 휴대전화에 저장해두는 것으로 대리 만족하고 있다. 아! 살찐 사람들을 유혹하는 광고를 나는 언제쯤 무시할 수 있을까?

으윽, 좀 들어가라고!

코로나 확산에 따라 사회적 거리 두기 단계도 격상되었다. 체육센터는 문을 닫았지만, 운동을 계속하고 싶다는 열정은 식지 않았다. 운동하고 싶은 내 마음이 닿았을까? 센터에서 강습하던 강사님이 자신의 센터에서 소수 정원으로 운동하고 있다는 소식을 듣고 가보았다. 집에서 한 시간 정도 걸리는 거리였지만 문제 되지 않았다.

설렘으로 가득 찬 공간은 낯설었다. 강사님 말고 다 모르는 사람들이었고 내 공간이 아니라는 생각에 의기소침해졌다. 맨 뒤 자리에 서서 긴장하고 있을 때 들려오는 음악이 내 긴장감을 풀어주었고 낯선 사람들이 하나둘 들어왔다. 서먹한 감정은 계속되었지만, 용기 내어 생소한 공기에 조금씩 스며들었다. 참 재미있는 부분은 어디를 가나 배우는 공간에는 보이지 않는 규칙이 존재한다는 점이었다. 오랫동안 배운 사람들은 앞줄에, 처음 오는 신입생들은 뒷자리를 차지한다. 한 번은 그런 규칙을 모르고 강사가 잘 안 보여 앞줄에 섰다가 텃세 부리는 사람한테 혼난 경험이 있었다. 나를 주시하고 있다는 말과 그 이유를 말해주던 사람이 없었다면 여전히 뒷담화의 주인공이 될 뻔했다.

마스크를 착용하고 빠른 음악에 맞춰 격하게 몸을 움직이다 보니 거친 숨소리가 여기저기서 들려왔다. 나 또한 숨이 턱까지 차올라 헉헉거렸지만, 기분은 이상하게도 상쾌했다. 땀을 잘 안 흘리는 체질이다 보니 땀 흘리며 운동하는 것 자체가 나에게는 기쁨이었다. 앞 시간을 열정적으로 움직이고 난 후 끝날 줄 알았던 수업이 5분 정도 쉬고 계속 연장되었다. 앞 시간에는 열정적으로 몸을 흔들었다면, 다음 시간은 스트레칭이었다. 익숙한 회원들은 분주하게 움직이며 각자의 매트를 깔기 시작했다. 개인 매트를 준비해 가지 못한 내가 당황하고 있으니 고맙게도 옆에 있던 사람이 남은 매트를 이용하면 된다고 알려줬다.

매트를 깔고 고개를 들었더니 낯선 모습이 나를 기다리고 있었다. 주위를 둘러보니 회원들이 이상한 도구를 두 개씩 챙기기 시작했다. 편안한 의자 모양처럼 생긴 물건이었는데, 어디에 쓰는 물건인지 궁금해서 옆 사람에게 살짝 물어보니 '요가 링'이라고 했다. 팔에 끼우기에는 너무 이상했고 발에 끼우자니 우스꽝스러웠다, 도대체 어디에 쓰는 물건일까? 그때까지만 해도 내 비참한 몸이 만천하에 공개될 줄은 꿈에도 생각하지 못했다.

카리스마 넘치는 강사님의 안내에 따라 강도 높은 스트레칭이 시작되었다. 유연성 운동은 어렵지 않았다. 문제는 다음 동작이었다. 스파르타식 운동이 시작되었고 강사님이 지나다니면서 일일이 몸을 눌러 점검하니 요령 피울 짬이 나지 않았다. "악~", "억!", "에고~" 앓는 소리가 전체 홀에 울려 퍼지더니 합창 소리로 바뀌었다. 코어에 힘이 너무 없다며 카랑카랑한 목소리 주인공 강사님은 몸까지 절도 있는 자세를 취하면서 우리의 합창 소리를 감탄의 소리로 바꾸었다. 강사님의 구령에 따라 자세를 가다듬고 몸을 움직였지만 아까보다 더 높아진 음으로 "아이고~",

"앗!"하는 정체불명의 소리가 축축한 공기와 함께 홀에 울려 퍼졌다.

드디어 정체불명의 기구를 사용하는 시간이 되었다. 혼자 고개를 갸우뚱거릴 때 링에 대한 설명에 집중했다. 요가 링은 목, 등, 발바닥 그리고 종아리 근육을 풀어주며 부기 빼주는 도구였다. 처음에는 베개처럼 사용하면서 머리와 목 근육을 풀어주었다. 여기까지는 어렵지 않게 따라 했다. 요가 링은 플라스틱 소재로 단단하며 둥근 타원형 모양이었다. 아래로 내려다보면 중간이 움푹 들어간 땅콩 모양처럼 생겼는데 이 난감한 물건을 종아리에 끼우라는 말이 들렸다. 내가 들은 게 맞는 것인지 확인하면서 시선은 자연스럽게 종아리 쪽으로 내려갔고 한숨이 절로 나왔다. 긴장되었는지 땀까지 삐질삐질 나오기 시작했다. 다리에 힘을 빼고 발목부터 천천히 올리면 종아리 부분을 통과하며 고정된다는 설명대로 따라 했지만, 이때부터 고난의 연속이었다. '으악~ 이거 왜 이래. 으윽, 좀 들어가라고!' 발목까지 무난하게 들어갔던 요가 링이 내 코끼리 종아리에서 움직이지 않았다. 요가 링은 종아리에서 입장하지 못한 채 거절당했다. 하염없이 들어

가려는 종아리를 인정사정없이 내쳤다. 아무리 어르고 달래봐도 꼼짝하지 않았다. 안절부절 주변 사람들은 어떻게 하고 있는지 쳐다보니 모두 너무 쉽게 링을 종아리에 끼우며 일어서고 있었다.

'앗! 나도 빨리해야 하는데.' 조급한 마음과는 다르게 내 종아리는 당당하게 버티고 있었다. 그때였다. "어머! 나처럼 종아리가 튼튼하군요. 괜찮아요. 도와줄게요." 운동으로 다져진 강사님 또한 종아리가 굵어 링으로 풀어줄 때 고생한다며 위안을 주었지만, 어찌나 부끄럽던지 정말 쥐구멍이라도 있다면 숨고 싶었다. 난관을 헤치고 승리한 장군처럼 마침내 링은 내 굵은 종아리를 차지했다. 난 요조숙녀처럼 조심조심 또 조심하며 어렵게 끼운 링이 벗겨지지 않도록 천천히 일어났다. 그런데 이런! 일어남과 동시에 청아한 소리가 울리고 링은 튕겨 나갔다. 얼굴은 화산처럼 활활 타오르고 시선을 어디에 둬야 할지 난감했다. 뒷자리에 있었기에 망정이지 앞자리였다면 얼마나 창피를 당했을꼬. 불타올랐던 운동 열정은 요가링으로 맥없이 사라졌고 그 뒤로 더는 운동 센터에 가지 못했다.

그리고 며칠 후, 꼴도 보기 싫었던 요가 링을 딸아이가 불쑥 내밀었다. "엄마, 저랑 요가 링 하실래요? 사은품으로 온 건데 종아리 알 빼기에 좋대요. 같이 하실래요?" 요가 링을 보는 동시에 그때 일이 되살아나 얼굴이 화끈거렸다. 잠시 후 아이가 자리를 비운 사이에 보기 싫은 요가 링을 쓰레기봉투 속으로 던져버렸다.

오늘도 달린다

코로나 19에 따른 사회적 거리 두기가 대폭 완화되면서 굳게 닫혔던 체육센터의 문이 열렸다. 사람들은 앞다투어 운동 프로그램에 등록하기 시작했고 나 또한 운동하러 체육센터로 달려갔다. 매달 열심히 헬스 프로그램에 등록했고 조금이라도 뛰어야지만 몸이 가벼워지는 것 같아 빠지지 않고 운동하러 다니고 있다.

운동할 때 러닝머신 대신 스탭퍼에 몸을 싣고 강도 7부터 시작한다. 작년에 다친 오른쪽 어깨를 자주 쓰면 안 되는 관계로 왕복해서 팔을 움직여주는 손잡이는 지지대처럼 잡기만 하고 발만 움직였다. 빠른 음악에 맞춰 빠른 걸음으로 걷다 보면 땀이 나기 시작하는데 그때부터 본격적으로 더 빠른 걸음으로 하체를 긴장시킨다. 빠른 걸음은 가끔 달리기로 변형하면서 가능하면 하체를 많이 움직이려고 노력한다. 가끔 운동할 때 내 허벅지를 보면 그렇게 두껍지 않다는 생각이 든다. 하지만 운동을 마치고 샤워할 때 내 몸을 다시 훑어보면 그건 내 착각임을 알게 된다. 아무래도 레깅스가 마술을 부리나 보다. 운동할 때만이라도 허벅지가 얇아 보이니 감사할 일이지만 말이다.

운동을 시작한 후, 100 칼로리 정도 소모되면 달리는 속도를 한 단계 내려 조금 더 빨리 걷는다. 쉴 새 없이 빠른 템포의 아이돌 노래가 나오면 자연스럽게 발의 속도가 빨라진다. 땀구멍이 열리고 땀이 한두 방울씩 떨어진다. 이때부터 '그래, 이제 시작이구나. 달려보자.'라는 주문을 외우고 나를 다독이며 60분이라는 시간을 채우기 위해 오늘도 달린다. 매일 규칙적으로 달리는 거리이고 시간이지만 때론 운동하는 것이 쉬운 날도 있고 너무 힘들어서 하염없이 계기판에 부착된 시간만 바라볼 때도 있다.

매일 운동하고 나서 체중계로 오를 때는 긴장된 희망으로 살포시 올라가 보지만 몸무게는 변동이 없고 몸무게 숫자가 올라가지 않기만을 기대한다. 어떤 사람은 살을 빼기 위해, 어떤 사람은 시간을 보내기 위해, 어떤 사람은 근육을 늘리기 위해 운동한다. 이 중에서 몇몇은 일부러 하체를 탄탄하고 굵게 만들기 위해 근육운동을 하는 사람들이 있다. 허벅지가 굵은 나로서는 전혀 이해할 수 없는 현상이다.

남편은 가끔 나에게 묻는다. 왜 그렇게 열심히 운동하러 다니느냐고. 허벅지 살을 빼기 위해 열심히 운동하러 다니는데, 노력하는 것에 비해 결과가 전혀 나타나지 않으니 계속할 필요가 있냐고 말할 때도 있다. '그래, 너처럼 날씬한 허벅지를 가진 자가 어찌 내 고충을 알리요.' 그런 질문을 받을 때마다 나 역시 빠지지 않는 허벅지 살을 미워하며 운동을 그만두어 버릴까 생각하기도 한다. 하지만 여기서 그만둔다면 체중이 더 불어날까 봐 60분이라도 아니, 30분이라도 땀 빼는 운동을 선택한다.

결혼할 때 입었던 예복이 아직도 몸에 맞는 남편을 보면 부럽기만 하다. 남편이 부러우면 부러울수록 한숨이 나오는 나는 남편에게 농담을 건넨다. "당신, 내 허벅지와 당신 허벅지 바꿀 생각 없나요? 아니면 내 허벅지살을 당신 엉덩이와 허벅지에 좀 붙여줄까요?"

농담을 건네는 나에게 남편은 "내가 살이 없더라도 비율이 좋은데 당신 살을 붙이면 내 비율이 어떻게 될까요? 음, 그건 싫소이다. 다음 생애를 기대하는 게 더 빠르지 않을까요?" 순간 나는 제우스의 아내인 헤라처럼 눈을 번뜩이며 남편을 향해 소리 없는 레이저를 쏘아댄다.

명절 때가 되면 가족사진을 찍자고 말하는 친정엄마에게 우리 세 남매는 동시에 말한다.

"우리 다이어트하고 나서 사진 찍으면 안 될까요?"

말로만 다이어트 이야기하지 말고 실천을 좀 하라고 닦달하는 엄마 말에 우리의 눈동자는 엄마의 시선을 피하며 매번 '내년'이라고 대답한다. 유난히 길었던 코로나로 인해 가족끼리 만날 수 없었던 시간에 우리 세 남매 모습은 한가위 보름달처럼 더 풍성해졌다. 비록 하체 비만일지라도 가족사진은 한번 찍어야 하지 않을까. 탄탄한 허벅지를 단 0.1%라도 줄여 다같이 사진 찍는 그 날을 위해 나는 오늘도 달린다.

“아! 살찐 사람들을 유혹하는 광고를 나는 언제쯤 무시할 수 있을까?”

-이명희-

"탄탄한 허벅지를 단 0.1%라도 줄여 다같이 사진 찍는 그 날을 위해 나는 오늘도 달린다."

-이명희-

Chap.7

혼자 여행하는 인간

이수경

여행을 좋아하는 초등학교 특수교사다. 양말에 구멍이 나도록 돌아다니며 여행지의 추억을 저장하고 있다. '당분간 여행은 No!'를 외치다가도 여유만 생기면 떠나는, 11년 차 25개국 해외여행자로서 언젠가 지구 정복을 꿈꾸고 있다.

혼자 여행하는 인간

제주에선 가끔 비행기를 놓쳐도 좋다

여행하는 인간의 자아 분열

길 위의 음식들

여행이 나에게 가르쳐준 것들

나 홀로 패키지여행

남해에서 혼맥 한잔할까요?

제주에선 가끔 비행기를 놓쳐도 좋다

코로나바이러스가 창궐한 이후 해외여행은 그야말로 그림의 떡이었다. 해외로 나가기 힘들어지니 국내 관광지에 사람들이 몰리는 것은 당연지사. 특히 제주도는 따로 성수기가 없을 정도로 연중 인기 있는 여행지로 급부상했다. 원래도 1년에 한 번씩은 제주도로 여행을 가는 편인데, 작년 2월엔 갑자기 마음이 힘들어져서 혼자 당일치기로 제주도로 향하게 되었다. 여행 하루 전에 급하게 항공권을 구하고 어렵사리 렌터카를 예약했다. 여행 비수기인 겨울이라고 해도 급하게 렌터카 구하기는 꽤 어려운데 운이 좋았다. 당시에도 코로나 확진자가 상당히 많아서 '여행 자제 권고 중'이었기에 당일치기로 가면서도 죄지은 사람처럼 불안했다. 하지만 여행 전이나 그런 마음이었지,

막상 떠나고 나니 홀가분함과 기분 좋은 설렘으로 가득 찼다.

MBTI 성격 유형 검사에서 J형인 나는 철두철미한 계획형은 아닐지라도 어느 정도 계획을 세우고 떠나는 여행을 선호한다. 즉흥적인 여행이고 1일 여행이라 딱 세 가지만 염두에 두었다.

"유채꽃, 숲, 바다"

1단계: 산방산에서 때 이른 유채꽃을 만나 힘든 마음을 사르르 녹이고 봄빛에 물들이기
2단계: 사려니숲에서 하늘을 향해 뻗은 키 큰 나무들 사이를 거닐며 모든 시름을 바람에 날리기
3단계: 그래도 남은 괴로움이 있다면, 영롱한 제주도 바다에 풍덩 던져 버리기

적어도 계획은 그러했다. 그런데, 급하게 빌린 렌터카엔 아쉽게도 내비게이션이 장착되어 있지 않았다. 어쩔 수 없이 핸드폰 길 찾기를 이용했다. 사진 찍는 것을 좋아하지만, 당일치기 여행이라 카메라를 따로

챙기지 않았다. 핸드폰은 내비게이션 겸 카메라의 역할까지 해야 했다. 봄방학이라 딱히 전화 올 데가 없을 것 같았는데, 평소에 연락이 뜸했던 지인에게서 전화가 왔다. 혼자 여행이라 심심한 데다가 오랜만의 전화라 반가워서 빨리 끊는 것이 아쉬웠다. 즐겁게 수다를 떨다가 다음의 만남을 기약하며 전화를 끊고 보니, 배터리 잔량은 30% 남짓. 보조 배터리를 연결했는데 충전되는 속도가 몹시 느렸다. 고장 난 것은 아닌데 충전 속도가 몹시 느렸다.

그래도 계획했던 곳은 가고 싶었다. 핸드폰 내비게이션의 안내를 따라 마지막 방문지인 김녕해수욕장에 도착했다. 김녕은 마치 연인과 헤어진 어느 여인의 이름 같다. 눈이 시리도록 푸르고 아름답지만 차갑게 앵돌아져 있는 바다의 모습. 우연히도 매번 겨울에만 김녕 해변에 가서일까. 나에게 김녕은 부드러운 연인이라기보다 차가운 눈길을 던지며 냉정하게 돌아선 모습으로 다가왔다.

휘몰아치는 겨울바람 때문인지 문득 '눈의 여왕'이라는 동화가 떠올랐다. 눈과 심장에 거울의 파편이 박혀 감정을 느끼지 못하게 된 소년 카이는 눈의 여왕을 따라 라플란드로 갔다. 이런 '눈의 여왕'의 이미지와 카이의 이야기는 얼마나 나를 매혹했는지 모른다. 얼음같이 차가워진 소년 카이의 마음을 풀어준 겔다의 따뜻한 눈물처럼, 꽁꽁 언 내 마음을 녹여줄 따뜻한 차 한 잔이 그리워졌다. 뜨거운 커피가 수혈되면 내 마음에도 온기가 돌 텐데.

그런데, 아무리 좌우를 살펴봐도 횟집만 보였다. 핸드폰 배터리는 9%도 남지 않았지만, 검색해서 김녕 해변에 있는 감성 카페를 찾았다. 분위기는 좋았지만, 너무 작은 카페라 이미 빈자리가 하나도 없었다. 순간 아까 지나쳤던 주변 마을의 편의점이 떠올랐다. 그 편의점에 고속 충전기가 있을까? 아쉽게도 김녕의 편의점에는 도시의 편의점이나 터미널에 있는 고속 충전기는 없고 일회용 충전기만 있었다. 이미 핸드폰이 방전되기 일보 직전이라 하는 수 없이 일회용 충전기로 충전하면서 김녕 근처의 월정리로 향했다.

월정리 해변의 멋진 카페에서 부드러운 치즈케이크와 따뜻한 커피를 마주하니 기분이 느긋해졌다. 카페의 통창으로 보이는 월정리 바다의 풍경은 너무 아름다웠다. 조금 전까지 답답하고 초조했던 마음은 어디

론가 날아가 버렸다. 저 멀리 풍력발전기가 바람개비 처럼 돌아가고 하얗게 부서지는 파도는 답답한 가슴을 뻥 뚫어 주었다.

'조금만, 아주 조금만 더 있다가 일어나야지.' 살짝 언 치즈케이크를 일부러 아껴가며 달콤한 맛을 혀끝으로 조금씩 음미했다. 모처럼 즐거운 기분으로 여행의 맛을 음미했다. 시간이 잠시 멈췄다. 어제까지의 나도 그렇게 잊을 수 있었다.

'잠깐, 비행기 시간이 언제였지? 여기서 몇 시에 출발하면 되지?' 갑자기 퍼뜩 정신이 들어 가방에서 꾸깃꾸깃해진 메모지를 꺼냈다. 카페에서 출발해야 할 시간을 착각해 버린 것이었다. 순간 당황해서 급하게 자리를 박차고 일어났다.

속도를 높여서 달리면 탑승 시간에 맞출 수 있다고 생각했는데 예상치 못한 복병은 퇴근 시간 제주 시내의 교통 체증이었다. 도심지 속도 제한뿐만 아니라 교통 체증이 심해서 차는 꼼짝하지 않았다. 공항 가기 전에 렌터카 반납도 해야 하는데 마음이 타들어 갔다.

결국, 비행기를 놓치고 말았다. 내 여행 인생을 통틀

어 유일하게 비행기를 놓친 순간이었다. 렌터카 업체의 셔틀버스를 타고 공항으로 가면서 열심히 항공권을 검색했다. 같은 항공사는 아니지만, 다행히 40분 후에 출발하는 항공권이 남아있었다. 하늘이 날 도우셨구나! 핸드폰 배터리는 5%도 채 남지 않았지만 이제 방전돼도 상관없었다. 따뜻한 집에서 오매불망 엄마를 기다리고 있을 아이들을 마음에 그리며 안도의 한숨을 내쉬었다.

아침 6시 전에 집에서 나와 밤 11시에 도착한, 꽉 찬 하루의 스릴 있는 여행이었다.

여행하는 인간의 자아 분열

자아를 찾기 위한 여행, 또는 자아를 망각하기 위한 여행. 그 사이 어디쯤엔가 있겠지, 나의 여행은.

여행이란 무엇일까. 대체 무엇이길래 나를 자꾸 낯선 땅에서 헤매게 하는 것일까. 남들보다 형편이 넉넉해서도 아니다. 모험심이 강해서도 아니다. 무엇이 나를 떠나지 않으면 안 되게 내모는 것일까. 핏속을 타고 흐르는 역마살 때문일까?

지금은 굳이 밖으로 나가지 않고도 안방에서 온 세계의 소식을 들을 수 있고, 각지의 사람을 만날 수 있는 시대다. 방송이나 책 또는 영화로 만날 수 있는 세상은 오지에서 극지방까지 그 스펙트럼이 다채롭기까지 하다. 그런데도 나의 마음은 늘 먼 곳을 꿈꾸며 죽기 전에 작은 발로 전 세계의 땅을 밟아보려고 한다. 작은 화면 속의 낯선 땅은 실재를 미화시키거나 반대로 아름다움을 축소하고 평면화시키기도 하니까 말이다. 세계 여러 나라의 사람들을 만나 자유롭게 소통할 수 있는 유창한 외국어 실력은 부족하지만, 여행지를 오감으로 느끼며 직접 경험하고 싶다.

여행을 준비하는 동안에는 여행지에 대한 기대감으로 마음이 부푼다. 여행지에 도착한 후 처음 며칠간은 이국적인 풍경에 설레고 즐겁다. 그러다 예상외의 기분 나쁜 변수가 생기면 마음이 가라앉고 피로감이 차 오르기 시작한다.

익숙하지 않은 곳에서 마사지를 받아 몸에 멍이 들기도 하고 아이가 장염에 걸려 고생할 때도 있었다. 이럴 때면 '당분간 여행은 그만!'이라고 외치게 된다. 이런 일을 여러 번 겪고 나서도 한 달쯤 지나면 금세 망각하고 또 외국 여행을 꿈꿀 것이다. 전처럼 즐겁지 않고 갈수록 약해지는 체력 때문에 여행이 버거워진다면 당분간 여행을 멈춰야 할 때가 아닐까. 일주일 미만의 짧은 여행이 맞을 수도 있다. 단기 여행을 할 때는 새로운 풍경에 감탄하고 신선한 매력을 그대로 느낀다. 그런데 비슷한 풍경을 보면서 피곤함이 쌓이면 여행지에서 느끼는 감흥도 줄어들어 익숙한 집으로 돌아가고 싶어지기도 한다. '한 달 살기'여행을 좋아하는 사람들도 있지만, 나는 장기 여행자 스타일은 아닌 것 같다. 여행을 좋아하면서 동시에 끔찍하게 싫어질 때도 있다.

언젠가부터 나 자신을 '여행하는 인간'이라고 정의했지만, 갈수록 여행이라는 걸 순수하게 좋아하며 즐기지 못하고 자아 분열하고 있는 것 같다. 특히 이번엔 떠나기 전에 가기 싫고 귀찮은 마음이 자꾸 들었는데, 그렇다고 단순 변심으로 취소하기는 망설여졌다. 전쟁이나 천재지변이 일어나지 않는 한, '내 사전엔 여행 취소란 없다'라는 원칙을 고수하지 않았던가.

피로감이 여행의 즐거움을 반감시키는 여행 6일째, 툴툴거리며 일기를 쓴다. 지나고 나면 이 시간마저도 그리울 것이다. 하지만, 지금은 빨리 집에 가서 떡국과 떡라면을 끓여 입김을 호호 불면서 먹고 싶을 뿐이다. 파 송송 계란 탁 깨 넣은 보글보글 끓는 순두부찌개도 눈앞에 삼삼하다.

길 위의 음식들

여행할 때 어디에 방점을 찍느냐에 따라 여행의 분위기가 달라진다. 힘들게 여기저기 다니기보다는 맛있는 것 먹고 멋진 카페 가서 쉬는 것을 좋아하는 사람이 있는 반면에, 나는 여행지에서 하나라도 더 보고 돌아오는 것을 선호한다. 평소 음식에 대해 남다른 관심과 집착을 보이면서도 여행할 때는 먹거리가 뒤로 밀린다니 좀 의외의 일이다. 나보다 더 음식에 무관심한 사람과 여행할 때는 제발 간편식 말고 맛있는 음식 좀 먹으러 가자고 통사정할 때도 있다. 모든 것은 그렇게 상대적인 것 같다.

지금까지 방문했던 여행지에서 먹은 음식 중에 기억에 남는 것을 꼽으라면, 대부분이 국내에서 먹은 한식들이다. 세계 어디를 가도 한식만큼 맛있는 음식은 없다는 생각이 든다. 평소엔 딱히 한식만을 고집하지는 않지만, 나이가 들수록 한식의 맛과 멋을 알게 되었다.

제일 먼저 떠오르는 음식은 직장 야유회에서 먹은 남도 한정식 밥상이다. 전라도 밥상은 떡하니 차려진 상차림만 봐도 먹기도 전에 배가 부르다. 없던 식욕도 절로 생기며 입안에 침이 고인다. 목포에서 마주했던 밥상은 반찬 그릇 수부터 압도적으로 많았고, 해산물을 즐기지 않는 내가 먹기에도 다양해서 안성맞춤이었다. 처음 먹어보는 낙지호롱구이에 각종 조개와 굴까지 푸짐한 한 상이었다.

회식할 때는 상관이 어떤 음식을 좋아하느냐에 따라 식당이 정해질 때가 많은데, 보통 고깃집이나 횟집에 자주 갔다. 나는 회를 좋아하지 않아서 메추리알이나 콘치즈, 삶은 콩을 까먹고 있다가 구운 꽁치가 나오면 은근히 내 앞으로 밀어주는 사람들이 참 고마웠다. 반강제적으로 참석해야 해서 싫었던 야유회나 회식이 코로나 시기에는 거의 없어져서 그리워지기도 했다.

가족들과 갔던 여행지에서 먹은 음식 중에서는 부산

광안리에서 먹었던 등심과 석쇠 불고기가 떠오른다. 직원들이 다 구워줘서 편했고 고기 맛도 괜찮았다. 아마 여행지에서 남편이 가족에게 한우를 사준 것이 드문 일이라 기억에 남는 것 같다.

남편은 경주처럼 차가 상습적으로 정체되는 인기 여행지에 놀러 가는 것이나 맛집에 줄 서서 기다리는 것을 무척 싫어한다. 아이들 어렸을 때 순천에서 꼬막 정식 맛집을 찾아갔다. 그렇게 못 먹을 맛도 아니었는데 남편의 입맛으로는 가격 대비 너무 먹을 것이 없고 맛도 별로라고 불평했다. 담양에서도 마찬가지였다. 몇 번의 블로그 맛집 도전 실패 이후로 남편은 내가 검색한 식당은 가지 않겠다고 선언했다. 그다음부터는 지나가다 눈에 띄는 식당에 무턱대고 들어가서 먹으니 음식 맛이 복불복이었다. 가족 여행에서는 핸들을 쥔 자가 대장이니까 나와 딸들이 양보했다.

친구와 갔던 하동 섬진강 변에 있는 재첩국집의 향토적인 색채가 그리울 때도 있다. 함양의 알려지지 않은 한정식집의 맛깔스러운 코스 요리도 가끔 생각난다. 그때 함께 했던 사람은 이제 연락도 하지 않는 '시절 인연'이 되었고, 음식과 함께 아련한 추억으로 남았다. 과거에 먹었던 음식들을 떠올리다 보니, 한때는 전화통 붙들고 몇 시간씩 통화했던 친구들도 생각난다. 잘살고 있는지 안부를 알 수 없어서 음식의 유통기한 같은 사람의 인연의 거리가 서글프기도 하다.

맛과는 상관없이 그때의 상황과 분위기 때문에 기억에 남는 음식이 있다. 춥고 외로웠던 두브로브니크 부두의 설익었던 홍합밥. 혼자라 그랬는지 인종 차별이었는지 현금으로 계산했더니 무수히 많은 잔돈을 테이블에 쏟아주었던 음식점은 유명 맛집이었다. 맛도 없고 설익기까지 해서 울컥했는데 서구에는 파스타의 '알 덴테(al dente)' 개념으로 밥도 그렇게 설익혀서 먹는다는 것을 나중에야 알게 되었다.

크로아티아 자다르의 거리에 서서 먹었던 피자 한 조각도 문득 떠오른다. 저녁 시간이었는데 사람이 북적거리는 식당에서 혼자 앉기 싫어서 망설이고 있었다. 때마침 서서 피자를 먹는 사람들을 보고 나도 스스럼없이 주문했다. 베이징의 밤거리에 서서 먹었던 꼬치구이도 떠오르는 것을 보면, 혼자 간 여행에서 먹었던 음식은 모두 어딘가 외로움의 향기가 배어있다. 오키나와에서 친구와 둘이 다정하게 앉아서 갈릭

버터 슈림프를 먹었던 시간과는 다른 향기가.

예전에는 혼자 음식점에 들어가는 것을 싫어했다. 카페도 혼자 가고 영화도 혼자 보러 갔는데, 밥은 혼자 먹기가 영 어색한 것이었다. 음식은 좋아하는 사람과 서로 권하며 같이 먹을 때가 제일 맛있다는 생각이 들었다. 하지만 코로나를 겪은 이후로는 '혼밥' 하는 사람을 쉽게 볼 수 있다. 혼자 식사를 하거나 혼자 여행을 하는 것도 혼자 운동을 하는 것처럼 익숙한 일상의 풍경이 되어버렸다. 어느 날 고독한 미식가가 되어 더 많은 길 위의 음식을 맛보러 떠날지도 모를 일이다.

여행이 나에게 가르쳐준 것들

열흘 정도 태국 여행을 다녀왔다. 사춘기 딸과의 여행은 기대했던 것처럼 즐겁지만은 않았다. 이제 딸도 많이 컸으니 친구처럼 다닐 수 있을 거라는 생각은 섣부른 오산이었다.

코로나 이후의 첫 자유 여행이어서 그랬을까. 여행 중이나 여행 후에도 많은 질문이 떠올랐다. 이를테면 '난 보이기 위한 여행을 하는 건가. 그건 아닌데 왜 이렇게 사진을 많이 찍는 거지?' 하는 생각 말이다. 여행의 순간을 즐기기보다는 사진 찍는 일에 더 열중하는 내 모습을 보면서 여행의 목적이 전도된 것 같은 착각이 들었다. 인스타그램에 여행 사진 올리는 것도 기록이 아닌 자랑 같아서 그만두었다.

이번에는 아이의 중학교 졸업 기념 여행이 테마였기

때문에 내 기준에는 전혀 타이트하지 않고 아이의 성향에 맞춘 여행을 계획했다. 하지만 컨디션 난조 탓인지 나도 힘들고 아이도 힘든, 서로 조금 불편한 여행이 되어버린 것 같다. 좀 성급한 결론일지는 몰라도 아이가 성인이 되어서 주체적으로 여행을 계획하기 전에는 같이 가는 여행은 피하고 싶어졌다. 워킹맘으로서 나의 소중한 휴가는 '일상에서의 해방'이기도 한데, 사춘기 아이와 함께하는 눈치 여행은 힐링이 아니라 고단한 일상의 연장이 될 수도 있다. 이렇게 얘기하면 어떤 사람들은 나를 이기적이라고 생각할지도 모르겠다. 물론 이 마음은 언제든 바뀔 수 있다.

남편이 여행을 좋아하지 않기 때문에 아이들이 어릴 때부터 혼자 애들을 데리고 외국 여행을 다녔다. 이제는 아이들이 커서 대부분의 여행에 따라가지 않으려고 하는데, 고등학생이 되면 여행 가기 어렵다고 생각한 첫째 아이만 가고 싶어 했다. 아이가 크면 여행하는 것이 좀 더 편해질 것이라고 생각했는데, 예민한 아이와 나는 잘 맞는 여행 짝꿍은 아니었다. 여행 취향이 서로 다른 친구나 가족, 특히 내가 주체적으로 여행을 이끌어 가야 한다면 마음의 부담과 함께 즐겁지 않은 여행이 될 수도 있다.

아이를 데리고 해외여행을 가는 것이 돈 낭비라는 생각도 가끔 든다. 아이가 여기저기 다니는 것보다 숙소에서 핸드폰 하는 것을 더 좋아하기 때문이다. 차라리 그 돈으로 아이에게 필요한 것을 사주거나 다른 것을 배우게 하는 편이 더 나을 것 같다는 생각도 든다. 어릴 때 다닌 여행은 잘 기억하지 못한다고 하던데 정말 그랬다. 초등학교 때 일본을 다녀왔는데, 아이는 한 번도 일본에 가본 적이 없다고 말하는 것을 듣고 깜짝 놀랐다. 여행을 많이 데리고 다닌다고 아이에게 호연지기가 생기거나 낯선 환경에 대한 적응력이 높아지는 것도 아니었다. 아이의 기질은 잘 바뀌지 않는다. 알을 깨고자 하는 아이의 선택과 노력 없이, 타고난 집순이의 기질을 엄마의 노력만으로 바꾸기란 어렵다.

나는 혼자 하는 여행이 좋다. 어떤 여행작가도 '진정한 여행은 혼자 하는 여행'이라고 했다. 언제나 내 취향에 맞춘 마음 편한 여행을 꿈꾸면서도, 함께 하는 여행의 불편함을 잊어버리거나 혼자 다니는 외로움을 피하고 싶어서 동행자와 여행을 꾸린다. 나중에 후회하면서도 말이다.

어떤 여행작가는 나 홀로 여행의 장점으로 다양한 친구를 사귈 수 있다고 혼자 떠나는 여행을 추천했다. 다른 나라 친구를 만날 때는 소극적인 성격도 문제지만 언어의 장벽도 크다. 외국에 나가면 영어 울렁증 때문인지 소통에 어려움을 겪을 때가 많다. 비록 문법이 맞지 않는다고 해도 내가 원하는 것을 영어로 표현할 수는 있는 반면에 외국인이 하는 말을 알아듣기가 어렵다. 해외여행을 갈 때마다 원만한 의사소통을 위해서 평소에 영어를 공부해야겠다는 마음이 절실해지지만, 금세 잊어버리고 다음 여행을 떠날 때가 되어서야 후회하는 것이다.

알아들을 수 없는 태국어와 이국의 향기에 둘러싸여 일주일이 넘어가니 집 생각이 절로 났다. 외국 여행 가서는 현지식을 먹는다는 원칙이 무너지고 나이가 들수록 여행지에서 자꾸만 한식이나 양식이 생각났다. 동남아의 비위생적인 식당과 불편한 대중교통도 여행을 질리게 하는 요인이었다.

여행을 마치고 공항에 내려 낯익은 거리와 우리말

간판을 볼 때 느껴지는 기분 좋은 안도감이라니.

'우리나라가 이렇게 편하고 좋은데 왜 자꾸 밖으로 나가고 싶었을까? 누추하고 좁아도 집이 제일 편하고 가족이 이렇게 좋은 것을 잊고 있었네.' 그렇게 찾던 파랑새는 결국 우리 집 마당에 있다는 것을 모험하고 난 후에야 비로소 깨달았다. 떠날 땐 즐겁고 돌아오면 산더미 같은 빨래와 살림을 하면서도 더 행복하다. 여행을 통해 일상의 소중함과 나를 둘러싼 모든 것에 고마움을 느끼게 되었다.

여행에 지칠 때면 집에서 편하게 책을 읽고 산책하고 카페에서 친구를 만나 이야기하는 평범한 일상이 그리워진다. 하루하루의 소박한 삶에서 작은 행복을 줍고 내면에 충실한 시간을 보내는 것이 가족들에게도 훨씬 유익하지 않을까.

어쩌면 나는 여행을 통해 자아 망각, 현실도피를 꿈꾸었는지도 모르겠다. 나 자신이 마음에 들지 않아서, 나를 둘러싼 환경이 싫어서 자꾸 떠나려고 했는지도 모른다. 해외여행 10년 부지런히 다녔으면 됐지, 유행의 조류에 밀려 습관처럼 떠나는 여행은 이제 그만두려고 한다. 정말 못 견디게 여행이 그리운 날에 떠나고 싶다. 이번 여행을 통해 깨달은 느낌을 잊지 말아야겠다. 이 모든 유난스러운 다짐의 말들이 고등학교에 입학하는 아이의 공부 뒷바라지를 위한 마음 여밈일지도 모르겠다. 이제 다시 일상의 초침이 째깍째깍 돌아가기 시작했다. 참 다행이다.

나 홀로 패키지여행

남편과 아이들은 여행을 별로 좋아하지 않는다. 다르게 말하면 여행 가는 것을 귀찮아한다. 특히 아이들이 중고등학생이 되니 힘들게 여행을 다니는 것보다 집에서 편하게 쉬는 것을 더 좋아하게 되었다. 여행지에서 다정한 모습으로 함께 다니는 가족들을 보면 참 부러웠다. 그렇지만 우리 가족의 모습을 있는 그대로 받아들이기로 했다.

나는 자유 여행을 더 좋아하지만, 여건이 되지 않을 때는 종종 패키지여행을 이용하기도 했다. 혼자 떠난 자유 여행으로는 일본과 베이징, 그리고 동유럽 정도이다. 패키지여행에 혼자 간 것도 두 번 있었는데, 서유럽 여행과 스페인, 포르투갈, 모로코 3개국 여행이었다.

패키지여행은 수박 겉핥기식이라 가능하면 안 가고 싶지만, 어쩔 수 없이 패키지여행을 선택해야 하는 경우가 있다. 자유 여행하기 쉽지 않은 나라, 이를테면 치안이 좋지 않거나 땅덩어리가 넓어 단시간에 둘러보기가 어려운 나라일 경우다. 여행을 준비할 시간이 없고 편하게 여기저기 둘러보고 싶을 때는 패키지 투어가 좋다.

10여 년 전, 서유럽 6개국을 패키지로 여행했을 때는 해외여행 초보라 좋은 점이 더 많았다. 꿈에 그리던 서유럽을 스치듯 구경해도 마냥 행복하고 좋았다. 관광지에서는 짧게, 쇼핑센터에서는 오래 있어도 참을만했다. 새벽에 일어나고 저녁에 돌아오는 빡빡한 일정 때문에 몸은 힘들었지만, 그만큼 많은 곳을 한 번에 돌아볼 수 있다는 것이 장점이었다. 물론 이런 점 때문에 패키지여행을 싫어하는 사람도 많다. 여유롭게 쉬면서 한 번에 한 나라나 한두 도시만 여행하는 것을 선호하는 사람도 있다. 그들은 패키지 투어를 '여행'이라 부르지 않고 '관광'이라고 한다. 마음 같아선 한곳에 오래 머물며 여유롭게 여행하고 싶지만, 직장인으로서 가성비 최대 효율을 올릴 수 있게 한 번에 좀 더 많은 곳을 둘러보고 싶었다.

유럽에 너무 가고 싶었지만 다들 시간이 맞지 않아 어쩔 수 없이 혼자 가게 되었을 때, 여행사에 예약하면서 혼자 온 여자분과 '룸 조인(room join)'을 요청했다. 다행히 혼자 온 여자분과 같이 방을 쓰게 되어서 여행비(single charge)를 아낄 수 있었다. 그런데 룸메이트와 성격이 잘 맞지 않아서 불편했고 나중엔 말도 하지 않게 되었다. 대신 중학생 아들과 함께 온 어머니와 친하게 되어서 같이 다녔고, 여행 후에도 한동안 연락을 주고받기도 했다.

패키지여행에서는 다양한 개성의 사람들을 알아가는 재미도 있는 반면에, 조용하게 여행을 즐기고 싶은데 하루 이틀 지나면 여러 사람의 직업, 나이, 사는 도시 등의 신상 명세가 알려져서 불편한 점도 있었다. 처음 만나는 사람들인데도 다니다 보면 끼리끼리 뭉쳐서 무리가 생기고, 여행지보다 패키지여행 온 사람들에 대해 더 관심을 보이기도 했다.

두 번째로 혼자 패키지여행에 참여한 것은 코로나 때문이었다. 코로나 확산세가 많이 둔화되었지만 만일의 사태에 대비하여 패키지여행을 하면 안심이 될 것 같았다. 이번에도 여행사에 룸메이트를 희망했는데 다행히 성격 좋은 동생과 함께하게 되어 심심하지 않고 좋았다. 그런데 여행이 끝나갈 무렵, 내가 갑자기 열이 나면서 설사와 오한 등 심한 감기 증상이 나타나기 시작했다. 룸메이트는 괜찮다고 했지만, 가족도 아니니 불안하고 미안해서 인솔자에게 방을 따로 얻어달라고 했다. 하필이면 당시 묵었던 여행지에 큰 행사가 있어 방을 구하기 힘들었다. 인솔자는 자신의 방을 나의 룸메이트에게 주고 자신은 근처의 다른 숙소를 알아보거나 친구와 방을 쓰면 된다고 했다. 불안한 마음에 코로나 자가 진단을 했더니 음성으로 나왔고, 약을 먹고 푹 쉬었더니 다음 날 아침엔 증상이 가벼워졌다. 그런데 근처의 다른 숙소에 갔던 인솔자가 조식을 먹고 출발 시간이 되었는데도 나타나지 않고 전화도 받지 않았다. 평소 수면장애가 있다고 했던 인솔자의 말을 떠올리며, 우리는 모두 버스에 탄 상태로 1시간 이상 기다렸다. 인솔자가 같은 숙소에 있었으면 깨웠을 텐데, 나 때문에 다른 숙소에 묵어서 이런 일이 생긴 것 같아 속상했다. 누구보다 마스크를 잘 쓰고 조심했는데 아파서 민폐를 끼친 것 같아 마음이 불편했다. 다음날 출국을 위해 신속 항원 검사를 했는데 전원이 음성이어서 한결 마음이 가벼워졌다. 코로나로 인해 잊지 못할 에피소드가 생긴 것이다.

그 이후로 다시는 패키지여행을 혼자 가지 않겠다고 다짐했다. 혼자 패키지여행에 간다면 깔끔하게 싱글 차지를 물고 혼자 방을 써야겠다. 여행할 때 아플 수도 있고, 서로 성격이 맞지 않는 룸메이트를 만나 불편할 수도 있으니 조금 심심하더라도 혼자 방을 쓰는 것이 나을 것 같다.

지난번 패키지여행에 혼자 가기 전에 마음의 준비로 두 권의 책을 읽었다. 마스다 미리의 만화 에세이 '마음이 급해졌어, 아름다운 것을 모두 보고 싶어; 패키지 투어에 나 홀로 참가함', 그리고 타카사키 모모코 씨의 만화 '나 혼자 패키지여행'이었다. 마스다 미리는 여행을 좋아하는 작가인데 여러 번 패키지여행에 혼자 참여했다고 한다. 나도 그녀처럼 유럽의 크리스마스 마켓이나 오로라를 보러 북유럽으로 훌쩍 떠나고 싶어진다.

코로나 엔데믹 선언 후 스멀스멀 해외여행의 유혹이

시작되었다.

해외여행을 너무 가고 싶지만, 같이 갈 사람이 없거나 자유 여행으로 혼자 떠나기가 두려운 사람은 여행사 패키지를 이용하는 것도 좋다. 가능하면 방은 혼자 쓰고 누가 뭐라 해도 남의 눈치 보지 말고 흔들리지 않는 멘탈을 갖추길 권한다. 며칠 동안 함께 여행해도 한번 스쳐 갈 인연일 뿐이다. 여행하는 순간 가장 중요한 것은 '지금, 여기, 나 자신'이니까.

남해에서 혼맥 한잔할까요?

여자 혼자 국내 여행을 가본 적이 있는가? 젊은 세대는 '혼자 여행 그까짓 것쯤이야.' 하면서 거리낄 것 없이 떠나던데, 외국 아닌 국내에서 중년 여성이 혼자 여행하는 것은 흔히 볼 수 있는 풍경은 아닌 것 같다. 기껏해야 가벼운 등산이나 산책 정도라면 모를까. 여행을 좋아하는 친구도 해외가 아닌 국내를 혼자 여행하는 것은 이상하게 꺼려진다고 했다. 너무 주변 시선을 의식하는 것인지도 모르겠다.

즉흥적으로 여행 가고 싶을 때 동행하는 사람과 시간을 맞춰야 하는 번거로움 없이, 내가 원하는 시간에 원하는 코스대로 움직일 수 있어서 혼행을 좋아한다. 몇 년 전부터는 근교의 여행지로 하루 여행을 가끔 떠난다.

그렇게 떠난 남해 여행. 남해는 내가 사는 곳에서 가까워 주말에 당일치기로 다녀오기에도 좋다.

다랭이 마을과 보리암으로 유명한 남해는 봄, 여름, 가을, 언제 가도 참 아름답다. 겨울의 남해는 가보지 않아서 어떤 모습인지 궁금하기도 하다.

코로나 전 좋았던 시절에는 직장 사람들과 문화 탐방으로 남해의 예술촌을 몇 번 방문하기도 했다. 그때 독일마을은 드라이브하며 먼발치에서 빨간 지붕이 있는 거리만 슬쩍 보고 지나갔었다. 지인이 말하기로 물가가 비싸고 볼 것도 없으며 너무 상업화되었다고 해서 굳이 가볼 생각을 하지 않았다. 직접 가보니 한 번쯤 기분 전환 삼아 가기에 좋은 곳이었다. 가까이에서 독일 여행을 온 기분을 만끽할 수 있는 곳이었다.

독일마을은 1960년대 독일에 간호사와 광부로 파견되어 한국 경제발전에 이바지한 교포들이 한국에 정착하여 살 수 있도록 조성된 곳이다. 독일 교포들이 사는 집도 있고 관광객을 위해 민박집으로 운영되고 있는 집도 있다. 독일마을에 가니 파독 간호사였던 숙모가 갑자기 떠올랐다. 독일에서 간호사 생활했던 사람 중 귀국하여 독일마을에서 살고 계시는 분들도 있지만, 숙모는 아들과 함께 독일에서 살기로 하셨다. 이미 연락이 끊긴 지는 오래되었는데, 건강하게 잘 계실 것으로 믿는다.

상점이 있는 거리를 쭉 따라 올라가면서 거리에 차가 많은데 주차할 자리가 있을까 걱정되었다. 다행히 늦은 오후여서 주차장에 빈자리가 있었다. 독일마을 안내판을 보니 '베를린 성', '괴테하우스', '하이디 하우스', '로렐라이' 등 독일 향기가 나는 이름들로 가득했다. 모두 펜션 아니면 카페와 음식점이었다. 아치형 문을 통과해 독일광장(Deutscher Platz) 안으로 들어오니 상점과 전시관이 있었다. '남해 독일파견 전시관'은 오후 6시까지 관람할 수 있었는데 입장 마감 시간이 되어서 들어가 보지 못했다.

상가에서는 소시지와 맥주 등으로 구성된 선물 세트도 판매하고 있었다. '마이카'는 독일의 전통 병 소시지라고 하는데 미리 익혀서 저장수에 담아놓은 소시지를 끓는 물에 4~5분 데쳐서 먹으면 된다고 했다. 광장에 있는 야외 테이블에서 무알코올 맥주를 한 잔 마실지 말지 살짝 고민했다. 사람들이 많지 않았지만 탁 트인 곳에서 혼자 맥주를 마시기에는 어쩐지 마음이 내키지 않았다.

광장 한쪽에 전망대로 가는 길이 보였다. 몇 개의 계단을 올라가서 본 전망은 꽤 아름다웠다. 빨간 지붕과 흰 벽으로 칠한 동화 같은 집들 너머로 푸른 남해의 바다가 남실거렸다. 그림엽서에 나오는 풍경이었다. 광장에서 내려와 마을 아래쪽으로 한가로이 거닐며 즐거운 산책을 했다. 네모난 마시멜로 아이스크림이 신기해 보였는데, 아이스크림을 마시멜로로 둘러싼 모양이었다. 사장님이 냉장고에서 꺼내서 토치로 표면을 구워주는데 색다르고 맛있었다. 나중에 알고 보니 다른 관광지에서도 팔고 있었다.

독일마을까지 왔는데 아무래도 맥주를 안 마시고 가자니 섭섭한 마음이 들었다. 탐색전을 벌이다가 혼자 가도 무안하지 않을 것 같은 비스트로(Bistro)에 들어가 보았다. 운전해야 하기에 무알코올 맥주 한 잔과 작은 소시지 안주를 주문했다. 한국인 입맛에 맞는다는 '커리 부어스트(currywurst)'가 궁금했는데, 떡볶이와 비슷하다고 했다. 소시지에 토마토소스를 넣어 볶은 맛이었다. 맥주는 슈무커(Schmucker)였는데,

무알코올 맥주로는 맛있다고 추천해 주셨다. 무알코올이라 여행 온 기분은 내고 얼굴은 빨개지지 않아서 좋았다.

오래전 독일로 패키지여행을 갔을 때 자유시간을 이용해서 맥주를 시켰다. 그런데 맥주가 나오기까지 무척 시간이 오래 걸리고 시원하지도 않아서 아쉬웠던 기억이 난다. 맥주의 본고장에서 미지근한 맥주가 나올 것이라고는 예상치 못했다. 우리나라 술집은 어디를 가도 맥주가 시원하게 나오니 좋다. 기념으로 아잉어(Ayinger) 맥주와 소시지를 사서 집으로 돌아오는 길에 은은한 노을이 외로운 여행자를 따스하게 감싸 주었다.

지금도 가끔 남해의 독일마을에서 마신 황금빛 맥주가 떠오르는 것은 편안한 우리나라에서 느끼는 신비로운 이국의 정취와 낭만 때문이 아닐까.

'우리나라가 이렇게 편하고 좋은데 왜 자꾸 밖으로 나가고 싶었을까? 누추하고 좁아도 집이 제일 편하고 가족이 이렇게 좋은 것을 잊고 있었네.' 그렇게 찾던 파랑새는 결국 우리 집 마당에 있다는 것을 모험하고 난 후에야 비로소 깨달았다.

-이수경-

"나는 혼자 하는 여행이 좋다. 어떤 여행작가도 '진정한 여행은 혼자 하는 여행'이라고 했다."

-이수경-

"지금도 가끔 남해의 독일마을에서 마신 황금빛 맥주가 떠오르는 것은 편안한 우리나라에서 느끼는 신비로운 이국의 정취와 낭만 때문이 아닐까."

-이수경-

에필로그

따로 또 함께

여럿이 모여 책을 완성하는 작업은 결코 쉬운 일이 아니었습니다. 공저에 대한 온도 차가 있기도 했고 우린 8인 8색이었으니까요. 그러함에도 불구하고 뜻과 힘을 모으다 보니 이렇게 '일상의 평범함이 특별함이 되는 시간'이 완성되어 빛을 보게 되었습니다.

혼자 하는 작업보다 여럿이 하는 작업이었기에 서로의 생각을 조율해 나가는 과정이 필요해서 시간이 더 걸리기도 했습니다. 그래도 꾸준히 써놓았던 글이 각자의 창고 안에 차곡차곡 쌓여있었기 때문에 과정의 어려움을 기꺼이 감수하고 작업할 수 있었습니다.

함께한다는 것은 더디게 가지만 멀리 갈 수 있다는 희망을 줍니다. 글의 높낮이가 다르고 글의 몸무게까지 다른 우리 오·신·나 회원들. 어떤 이는 충청도 양반처럼 매사 여유롭고, 어떤 이는 팔딱거리는 활어처럼 성미가 급하고, 또 어떤 이는 순한 양처럼 모두의 의견을 잘 따라가고, 통통 튀는 젊은이의 감성을 가진 이도, 묵묵한 거북이처럼 성실한 이도, 토끼처럼 귀가 쫑긋해서 조심성이 있는 이도, 투덜거리는 투덜이의 모습을 가진 이도 있지만, 서로의 모습을 있는 그대로 수용하면서 높은 산을 같이 넘은 우리 모두에게 힘찬 박수를 보냅니다. 아울러 공저 작업하면서 느낀 점들을 적어봅니다.

오·신·나 회원들과 공저 작업을 하면서 서로를 깊이 알아갈 수 있었던 저는 무엇보다 글벗을 얻었습니다. 글벗이 있다는 충만함은 글 쓰는 과정에서 큰 힘이 될 줄 압니다. 저는 아마추어 작가로 살아가면서 앞으로도 쭉 쓰는 사람으로 살아가고 싶습니다. 먼 훗날 세상을 떠난 후에도 나의 자녀들이 '우리 엄마는

글 쓰는 사람이었어'라고 말해줄 수 있다면 그것만으로도 충분히 만족할 수 있을 것입니다. (김경희)

매일 비슷한 일상을 보내면서 자신을 표현하는 글을 쓰고 싶어졌고, 비슷한 마음을 가진 글벗을 만나는 행운을 누렸습니다. 혼자라면 그냥 블로그나 브런치에서 글을 쓰는 것으로 그쳤을 텐데 여럿이 모여 뜻이 맞으니 책까지 내는 뜻밖의 수확을 하게 되었습니다. 우리가 어느 별에서 만나 이토록 아름다운 하모니를 만들어 내게 되었는지 다시 생각해도 감사할 일입니다. 저마다의 빛깔로 빛나고 있는 다채로운 삶의 무늬가 이 한 권의 책에 담겨있습니다. 이 책을 읽는 분들에게도 공감이 가는 따뜻한 이야기가 되기를 바랍니다. (이수경)

19살, 십 대의 끝자락의 나이는 고민하고 선택할 것들이 많은 시기입니다. 그동안 학교에서 집으로 오가며 비슷한 삶을 살아왔던 친구들도 이 일 년이 지나면 서로 다른 길을 걷게 되지요. 인생의 갈림길에서 첫 번째 큰 열쇠를 쥐고 있는 고3 시기입니다. 아들과 함께 고민하며 시간을 보내기 위해 글을 썼습니다. 때로는 글쓰기가 과거와 현재, 그리고 미래의 연결고리가 되기도 합니다. 이 책을 통해서 1993년의 고 3 시절과 2023년의 고 3 시절, 그리고 앞으로 있을 다른 이들의 고 3 시절까지도 행복으로 연결되었으면 좋겠습니다. (강민주)

그저 글을 쓰고 싶었습니다. 나만의 해우소가 필요해 주절주절 쓰다가, 문득 글쓰기기 궁금해졌습니다. 글에도 절차가 있고 방법이 있었습니다. 글쓰기 강의도 들어보고 책도 읽어보았습니다. 글쓰기라는 주제로 다양한 삶의 터전에서 살아가는 글동무들을 만났습니다. 온라인에서 만나게 되었지만 따뜻함이 있는 그들에게 글로써 의지하고 있음을 문득 깨달았습니다. 그렇게 오묘하고 신비한 우리는 각자의 글로 하나가 되어봅니다. 글쓰기로 서로의 인생을 나누며 '공저'로 따스함을 만들었습니다. 소소한 인생이야기가 여러분에게 힘이 될 것입니다. (이명희)

어떻게 여기까지 왔는지 에필로그를 쓰는 지금도 꿈처럼 느껴집니다. 책을 통해 작가를 알아갈수록 막연하게 저도 글 쓰는 사람이 되고 싶었습니다. 글쓰기 수업을 등록하고 그곳에서 일곱 명의 닮고 싶은 작가님들을 만났습니다. 꾸준히 자신의 글을 쓰시면서 못

쓰겠다고 안 쓰겠다고 투덜이 스머프처럼 툴툴거리는 저를 토닥여주신 작가님들 덕분에 공저 작업까지 함께할 수 있었습니다. 혼자라면 제 인생에서 절대 일어나지 않을 기적 같은 사건을 만들어주신 일곱 분의 작가님들 감사합니다. 그리고 저에게 일어난 기적이 여러분에게도 일어나길...... (신주희)

오늘을 달콤하게 사는 방법을 나만의 방식으로 풀어보았습니다. 삶을 가볍고 온기 있게 즐기며 살고 있습니다. 글쓰기가 좋아서 만나게 된 7명의 글벗들과 서로 격려해가며 여기까지 올 수 있었습니다. 우리의 글이 공감되고 위로가 될 수 있다면 그것으로 더없이 감사하겠습니다. (고선애)

여드름 피부를 가진 청소년들에게 좀 더 깊은 이해와 위로가 필요하다고 생각했습니다. 꺼내기 부끄러운 이야기였지만 저 또한 다른 작가들의 아픔을 읽으며 치유 받았습니다. 제 이야기를 세상 밖으로 꺼낼 수 있도록 응원해 주신 글동무들이 없었다면 결코 용기 낼 수 없었을 것입니다. 함께였기에 가능했던 우리의 이야기가 완성할 수 될 수 있도록 힘을 내준 벗들에게 진심으로 감사의 마음 전하고 싶습니다. (배은

미)

‘오묘하고 신비한 나의 글쓰기’ 에세이 클럽은 앞으로도 평범한 일상을 소중히 여기며 글을 써나가고 싶습니다. 때론 따로 때론 함께하는 ‘따로 또 함께’의 미학 속에서 우리 모두 무르익어 가길 기대합니다. 나아가 평범한 일상을 특별한 시간으로 바꿀 줄 아는 지혜를 가슴 깊이 품고 개개인이 특별해지기를 소망합니다.

2023년 12월 25일

함께 이루어냈음에 감사하며